冷月孤燈

唐浩明讀史隨筆集　二

岳麓書社·長沙

本色是文人

創建湘軍，并統領這支軍隊打敗太平軍的曾國藩，在近代中國，以軍功彪炳史册，且大爲激發湖南人從軍打仗的熱情，以至後來中國『無湘不成軍』。鑒于此，稱曾氏爲軍事家應不過分，但這個軍事家本人却并不承認自己是軍事中的行家。他曾對他的兒子説過：『行軍本非余所長，兵貴奇而余太平，兵貴詐而余太直。』而且這個軍事家也對用兵持不贊賞的態度。他告誡兒子：『爾等長大以後切不可涉歷兵間，此事難于見功，易于造孽，尤易于貽萬世口實。余久處行間，日日如坐針氈。』不但不要兒子從軍，而且也不要他們做官。他有一句名言，道是：『凡人多望子孫爲大官，余不願爲大官。』

曾氏爵封一等毅勇侯，官拜武英殿大學士，無論從軍還是做官，都可算是到了頂點。這位把軍功和官位都做到極致的曾文正公，却不願子孫投身軍政兩界，這一點很值得後人仔細玩味。那麽，他希望子孫做什麽呢？他要子孫做『讀書明理之君子』。

曾氏五歲發蒙，二十三歲中秀才，二十四歲中舉人，二十八歲中進士點翰林，科舉一帆風順，應該説，他是一個書讀得很好的人。除精于應試之學外，他平時讀什麽書呢？道光二十四年，他給他的弟弟們列了一份自己的熟讀書書目：《易經》、《詩經》、《史記》、《明史》、屈詩、杜詩、韓文。細析這份書目，可知他的興趣在詩文上。他教兒子讀書，也有心朝詩文方嚮引導。他告訴兒子：『李杜韓蘇之詩，韓歐曾王之文，非高聲朗誦則不能得其雄偉之概，非密咏恬吟則不能探其深遠之韵。』他認爲李杜韓白蘇黄陸元八家的詩可以『開拓心胸，擴充氣魄』。他甚至還對兒子説：『余所好者，尤在陶之五古、杜之五律、陸之七絶，以爲人生具此高淡胸襟，雖南面王不以易其樂也。』從『雖南面王不以易其樂』這句話中，我們可以看出，軍功也罷，相業也罷，甚至帝王之位也罷，都不能給他帶來最大的樂趣，他的最大樂趣是在古人的詩中。這顯然不是政治家、軍事家的價值觀，這種價值觀衹能屬于文人。

事實上，曾氏一生于學問領域用功最多者是詩文，他自認爲平生所長者也是詩文。曾氏不是一個唱高調的人，他對自己的肯定并不多，唯獨于詩文他很自信。三十多歲時他就説過：『余于詩亦有功夫，恨當世無韓昌黎及蘇黄一輩人可與發吾狂言者。』在仗打得最艱難，隨時都有可能喪命的時候，面對死，他一切都不遺憾，『惟古文與詩二者用力頗深，探索頗苦，而未能介然用之，獨闢康莊，古文尤確有依據，若遽先朝露，則寸心所得遂成廣陵之散』。出于對詩文的格外喜愛及有可能出現『廣陵之散』的擔心，在戎馬倥傯、一夕數驚的軍營中，曾氏于萬幾之暇編選了兩本詩文集：《經史百家雜鈔》《十八家詩鈔》。雖是抄選前人的詩文，然在選與不選之際，很見選家眼光。曾氏的這兩部選本，因眼光精當而備受清季以來文人學士的重視，流傳甚廣。當然，更爲值得珍惜的是他自己的詩文。儘管後來因爲做湘軍統帥而耽誤了許多寶貴的創作光陰，使得他的詩文成就没有達到他本人的期望，但他畢竟還是爲後

冷月孤燈

唐浩明讀史隨筆集 二

岳麓書社·[illegible]

世留下三百二十多首詩和一百四十多篇文章。這些詩文奠定了他在中國近代文學史上的地位。尤其是他的文章，更是對清末民初的文風影響巨大。著名學者錢基博在《現代中國文學史》一書中說：『厥後湘鄉曾國藩以雄直之氣宏通之識發爲文章』，『异軍突起而自爲一派，可名爲湘鄉派。一時流風所被，桐城而後罕有抗顏行者』。此一評價，堪稱允當。

曾氏在被冷落半個世紀之後，重新受到人們的關注，然當代關注的目光多集中在他的事功上，對他本人所看重的詩文反而有所忽視。其實，事功對于他來說，衹是十幾年辛勞的結果，而詩文，則是他一輩子心血的結晶。現在，湖南人民出版社的同仁有志將曾氏的詩文介紹給世人。我受他們之托，在他的詩文集中選出部分代表作，武漢大學的幾位年輕學者爲這些詩文作了評點，希望能對曾氏詩文成就的認識和理解帶來些許幫助。

兩部詩文選本

曾國藩留在近代史册上的痕迹，色彩最濃的一筆，毫無疑問是他的軍功。這位有著赫赫軍功的一等毅勇侯，實際上却是一個標準的文化人。他從父親的私塾到唐氏家塾到漣濱書院到岳麓書院，受過正規的系統的學院教育。他從秀才到舉人到進士到翰林，走過正途的完整的科舉道路。直到三十九歲之前，他都是一個專職的皇帝文學侍從。咸豐二年底，曾氏接到朝廷令他出任幫辦湖南團練事務大臣的上諭，他最初的態度是一口拒絕。讓他作出違旨决定的主要原因，應該是他的不識兵戎的文職身份。儘管還有其他種種原因在起著作用，但我相信，占第一位的一定是這個，因爲這是近于本能性的反應。對于一個業已四十二歲身處高位的中年人，弃文就武，投筆從戎，談何容易！所以我歷來認爲，對曾氏的研究，無論視他爲政治家也罷，軍事家也罷，都不能忽視他的本色。他的本色是一位詞臣，一介文人。最能體現他的詞臣學養、文人情懷的，除開他自己創作的詩文外，就是擺在我們面前的這兩部詩文選本：《經史百家雜鈔》與《十八家詩鈔》。

《經史百家雜鈔》一書，創意于咸豐元年初曾氏供職京師六部期間，成書于咸豐十年閏三月安徽宿松軍營。在此之前，有一部影響很大的古文選本名曰《古文辭類纂》，編者乃大名鼎鼎的桐城文派主將姚鼐。曾氏對姚很敬重，說過『粗解文章，由姚先生啓之』的話，并將姚列爲他所認可的三十二個聖哲之一。姚對曾氏的最大啓發，是姚所提出的文章有陽剛與陰柔之分的觀點。曾氏在姚的基礎上，參照邵雍的四象之説，又將陽剛分爲太陽、少陽，陰柔分成太陰、少陰四類。太陽代表氣勢，少陽代表趣味，太陰代表識度，少陰代表情韵。後來，他又將四類分成八類，即氣勢類分爲噴薄之勢與跌蕩之勢，趣味類分爲詼詭之趣與閑適之趣，識度類分成宏闊之度與含蓄之度，情韵類分爲沉雄之韵與淒惻之韵。吴汝綸稱曾氏此種分類，是關于古文的『前古未有』的發現。曾氏自己多次説過，他對古文下過苦功夫探索，有獨到的心得體會。他甚至擔心若過早去世，他的寸心所得有可能成爲廣陵之散。對古文的這個分類，應是他古文研究成果的一部分。

雖受姚鼐所啓發，但曾氏并不盲從姚。當時的散文名家吴南屏曾致信曾氏，説果以姚氏爲宗，桐城爲派，則侍郎之心殊未必然。這話説到曾氏的心坎裏去了。儘管曾氏看重姚所編的《古文辭類纂》，但對此書著重辭章家而忽略經史的做法很不贊同。他説經史纔是文章的源頭。作爲國家重臣，曾氏對姚輕視典志、治道也不滿。他認爲學問于姚所標舉的義理、考據、辭章之外，還有經濟之學。

重新梳理古文源流，糾正姚鼐的偏頗缺失，這兩點無疑是曾氏在《古文辭類纂》的盛名之下，還要選編《經史百家雜鈔》的重要原因。

《十八家詩鈔》這部書，最先的構想也産生在咸豐年間。據同治六年十二月二十九日記『余

在京抄成十八家詩』這句話，可知此書成書當在咸豐二年六月前。曾氏所選的這十八家，都是他本人極爲喜愛的詩人。他在自己的文字中多次對他們的詩作表示贊譽，對他們的人品表示敬仰。他説：『開拓心胸，擴充氣魄，窮極變態，則非唐之李杜韓白、宋金之蘇黄陸元八家，不足以盡天下之奇觀。』又説：『五言詩，若能學到陶潛、謝朓一種冲淡之味和諧之音，亦天下之至樂人間之奇福也。』他甚至還説過這樣的話：『余所好者，尤在陶之五古、杜之五律、陸之七絶，以爲人生具此高淡襟懷，雖南面王不以易其樂也。』從這些話中，我們可以看到詩在曾氏心中的地位，看到他對自己所敬重的詩人之珍愛。

除開這份情感外，曾氏對詩也有很深的研究。早在京師翰林院時，他就説過：『惟古文各體詩，自覺有進境，將來此事當有成就，恨當世無韓愈、王安石一流人與我相質證耳。』曾氏不是個説大話的人，此話當可相信。他曾將所抄的十八家詩細加考究，認爲李白、韓愈的詩可列入陽剛中的氣勢類，韓愈的另一部分詩與蘇軾的詩則可列入陽剛中的趣味類，杜甫、李商隱的詩可列入陰柔中的情韵類，陶潛的詩則可列入陰柔中的識度類。尤爲值得重視的是，曾氏認爲最好的詩文應當將陽剛之美與陰柔之美融合起來。他爲此提出過『含雄奇于淡遠之中』的美學觀念，説藝術作品若能達到此種境地，纔是『文人技藝佳境』。由這樣一位在研究與創作兩方面都有很高造詣的人，來選編前代詩作，自然可以誕生一部既有品位又有特色的選本。

曾氏所編的這兩部詩文選本，收在清光緒二年傳忠書局刊印的《曾文正公全集》中。隨

著《全集》的廣泛流傳，這兩部選本也在社會上産生很大的影響，成爲清末民初研習中國古代詩文的最好讀本。一九一五年九月六日，毛澤東在致友人蕭子升的信中説：『今欲通國學，亦早通其常識耳，首貴擇書。其書必能孕群籍而抱萬有。幹振則枝披，將麾則卒舞。如是之書，曾氏《雜鈔》，其庶幾焉。』又説：『國學者，統道與文也。姚氏《類纂》畸于文，曾書則二者兼之，所以可貴也。』毛澤東對曾氏選本的評價，應該代表當時社會，尤其是激進青年士人的普遍看法。今天，對國學有興趣的年輕讀者，仍可藉助這兩部選本，從正門進入中國古典詩文的殿堂。

三夢劉墉

咸豐十一年七月初一夜裏，曾國藩兩次夢見乾隆朝大學士劉墉。他在當天的日記中記道：『二更四點睡。潘弁值日。夢劉石庵先生，與之鬯叙數日。四更因瘡癢，手不停爬。五更復成寐。又夢劉石庵，仿佛若同在行役者，説話頗多，但未及作字之法。』同治七年八月初四夜他又一次夢見劉墉：『二更三點睡，夢劉文清公，與之周旋良久，説話甚多，都不記憶，惟記問其作字果用純羊毫乎？抑用純紫毫乎？文清答以某年到某處道員之任，曾好寫某店水筆。夢中記其店名甚確，醒後亦忘之矣。』

『劉石庵』『劉文清公』，指的都是劉墉。曾氏兩番鄭重其事地記下夢中與人見面情形及談話内容，這種情況在他的日記中絶無僅有。他爲什麽對劉墉如此情有獨鍾呢？這并非因爲劉墉地位高名氣大，更非因爲劉墉生前軼事趣聞多，而是因爲劉墉是曾氏心目中極爲推崇的書法大家。咸豐年間的夢話中没有談到作字之法，從日記的字裏行間來看，曾氏頗有憾意。同治年間的夢境裏，他似乎在著意補救，細問劉平日寫字，到底是用純羊毫，還是純紫毫，甚至説到了哪家店裏的筆好，衹可惜忘記了店名。揣摩曾氏的心情，若未忘記，好像他會尋找這家店去買筆似的。這三番夢境，尤其是第三次，真是活靈活現地顯示出曾氏對書家劉墉的崇敬之心。

曾氏看重寫字，故而他關心劉墉的用筆。當年，身在京師的他常常買筆寄筆。他家中四個弟弟用的筆，大部分是他在京城買的。他的一些京外朋友，也常常獲贈他寄的筆。道光二十四年十二月十八日，曾氏在給諸弟的信中寫道：『去年樹堂所寄之筆，亦我親手買者。春光醉目前每支大錢五百文，實不能再寄。』此信爲我們提供了兩個關于筆的寶貴史料：一是當時北京城裏有一種名字叫春光醉的好筆，二是這種筆每支要賣大錢五百文。五百文錢是個什麽概念呢？曾氏有封家信裏説過這樣的話：『朱堯階每年贈穀四十石……小斗四十石不過值錢四十千。』（道光二十六年正月初三禀父母）由此可見，小斗一石值錢一千文。一支春光醉的毛筆與半石穀相當，的確價格不菲。曾氏當時衹是一個從五品小京官，年薪不過八十兩銀子，難怪他『不能再寄』。

曾氏長期供職翰林院。翰林乃皇帝的文學侍從，把字寫好，是他的本職工作。曾氏看重寫字，固然有此種緣故在内，但更重要的是他酷愛書法藝術。從傳世的家書和日記中，可知他曾經下過大力氣臨帖摹帖，對古今書法涉獵甚廣，鑽研頗深。他早年能寫一筆端秀的楷書，中年之後的行書，筆勢剛硬陡峭，結體凝重謹飭，自成一家。在他的教育和影響下，他的弟弟國荃、兒子紀澤都寫得一手好字。在今人編輯的清代書法家名録上，他們都占有一席之地。曾氏的後半生是在戎馬倥傯的軍營中度過的。軍旅生活既緊張又枯燥，幾乎没有什麽娱樂活動。偶爾看到古代名家的書法作品，則給他帶來片時的愉悦。有人于是投其所好，主動送來前人書

法中的珍品極品。對這些珍稀，儘管他心裏十分喜愛，却不肯收受。咸豐十一年正月二十二日，他的日記裏記載這樣一件事——

安徽休寧縣令送給他一本王羲之字帖，收藏家已鑒定爲宋代淳化祖本，而且係唐代所刻。曾氏説此帖『神采奕奕，如神龍矯變，不可方物，實爲希世至寶。余行年五十有一，得見此奇，可爲眼福』。他觀賞了一會兒後，依舊退還給主人，并在日記中寫下『世間尤物不敢妄取』八個字。

這八個字常常令我想起，感慨良多。古往今來，有多少聰明能幹之人，恰恰就敗在妄取尤物之上！

在清朝前輩書法名家中，曾氏最爲愛重的就是這個令他魂牽夢繞的劉墉。他認爲劉墉是有清一代真正的書法大家。對于大家，曾氏有他的判定標準。他説大家的作品，應該無論是外在的面貌，還是内裏的精神，都要與別人完全不同。清代的張得天、何義門雖是有名的書法家，但他們的字未能形成自己的面貌特色，故不能稱之爲大家，衹有『如劉石庵之貌异神异，乃可推爲大家』。

劉墉的字用墨厚重，貌豐骨勁，個性鮮明。曾氏時常面對其書法作品諦視把玩，從中悟出不少藝術精義。咸豐十一年六月十七日，他在日記中記下自己觀賞劉墉字帖的體會：『看劉文清公《清愛堂帖》，略得其冲淡自然之趣，方悟文人技藝佳境有二：曰雄奇，曰淡遠。

米粒，但總不改。曾氏最終決定不用，打發他回老家。

許多人稱贊曾氏能識英雄于微末之中。英雄在微末時期不可能做出大事來，需要有眼光有智慧的人，從細事末節上去識別，讓其人脱穎而出。

（四）從長相上識人

曾氏是一個注重看相的人。流傳下來的曾氏文字中，有一批他接見部屬的隨手記録。這些文字很有趣。我們從中舉一例來看。咸豐八年十月二十一日，曾氏接見熊登武。當日，他對熊是這樣記載的：『熊登武，廿五歲，八都人，青三之侄。目有精光，三道分明。鼻準溝而梁方，口有神而紋俗，略似禮園。三年入羅營，從救江西。四年從攻武漢、田家鎮。六年入沅營，未假。本生父故，母存，過繼父母皆亡。』四個多月後，曾氏再次接見熊，又做了記録：『熊登武，中右哨，沅之妻侄，睛黄，明白。』

從這兩次的記録中，我們看到曾氏對部屬考察，很注重看相。他看的相，分兩個方面。一爲有形的，如他看熊的眼睛、鼻子、嘴。一爲無形的，即神情方面的表現，如精光、有神、明白。他對熊登武感覺很好，在熊的名字上畫上兩個圓圈。

熊登武是吉字營中的重要將領，跟著曾國荃最先攻進南京城。由曾氏保薦，熊以記名總兵身份交軍機處記名，無論提督、總兵缺出，儘先提奏，并賞穿黄馬褂，賞給騎都尉世職，不久便出任福山鎮總兵。在數十萬湘軍的投奔者中，熊登武無疑是極爲幸運者。曾氏對熊的印象，與熊的命運是大致吻合的。

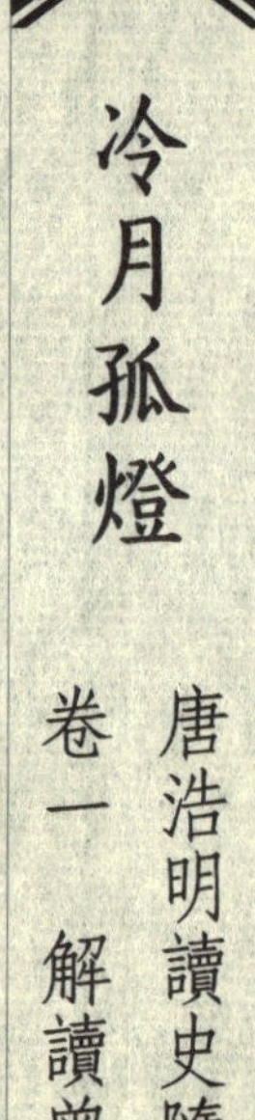

黎庶昌撰的曾氏年譜記載，道光二十四年，曾氏在京師第一次見到江忠源，當時江忠源是一個流落京師的舉人。曾氏與他談了一個多小時的話，又目送他消失在胡同中，然後對陪同江來會見的郭嵩燾説：『京師求如此人才不可得。』又説：『是人必立功名于天下，然當以節義死。』後來太平天國事起，江忠源在家鄉湖南新寧募勇，戰功卓著，以一代理縣令的身份很快便升至安徽巡撫，然不久兵敗投水自殺。江忠源的經歷，竟然與曾氏的預測完全一致。

容閎在《西學東漸記》一書中記録他與曾氏在安慶總督衙門中的首次見面：『寒暄數語後，總督命予坐其前，含笑不語者約數分鐘……又以鋭利之眼光將予自頂及踵，仔細估量，似欲察予外貌有异常人否。最後乃雙眸炯炯，直射予面，若特別注重予之二目者。曾氏説：予觀汝貌，决爲良好將材。』

曾氏與人初次見面，喜歡察看其人的相貌，并由此對其人作出一番判定。他的這個習慣，在《西學東漸記》這部名著中得到生動傳神的記載。

湘軍一個名叫李金暘的營官投降太平軍。曾氏在與人書信中説：『此人頭上毛髮横梗，有反骨。』

以上的這些事實，充分地證明曾氏是重視看相，并善于看相的，他也常以看相來識別人才。他在同治四年十一月十三日的日記中寫了八條『看相秘訣』：邪正看鼻眼，真假看嘴唇，

『讀書聲如金石，飄飄意遠，一樂也。宏獎人才，誘人日進，二樂也。勤勞而後憩息，三樂也。』

基于這種宏獎理念，曾氏對人才多本愛惜保護之心。對于部屬，他有兩句名言：揚善于公庭，規過于私室。部屬有成績，做了好事，要在大庭廣衆之中加以表揚，既表彰了本人，也可引導大衆；倘若有了過錯，發生失誤，則衹宜在私密空間裏予以指出，既有批評，又照顧了臉面。凡人才，皆有自尊心，也皆有上進心，這種公私區別的育人方法，實在值得我們所有的領導者、管理者效法。

正是出于對人才培育的高度重視與對國家前途的高度責任心，去世前一年的曾氏，爲中華民族做了一件偉大的事情，那就是他聯合李鴻章一道向朝廷建議：以公費派遣幼童出國留學，學成歸國，爲國家漸圖自强效力。同治十二年，也就是他去世的後一年，此議付諸實踐。朝廷選派三十名幼童赴美國學習科技，接下來，又派出三批，共一百二十名，全都進入諸如哈佛、耶魯、麻省理工、哥倫比亞大學等名校，後來又全部回國，成爲我國歷史上第一批『海歸』。他們中涌現出詹天佑、唐紹儀、梁敦彦、蔡紹基等著名人物。這樁被世人譽爲『中華創始之舉』『古來未有之業』，對近代中國社會的發展有著不可估量的重大作用。一百多年來，被中國歷届政府所沿襲，即便是國家遇到戰爭這樣的大災難，公費留學事業也從未停止過。曾氏之功，應當受到中華民族的永遠緬懷。

曾氏的識人用人，是他留給後人的一筆寶貴的文化遺産，其中的幾點，特别值得我們珍重。

在識人上，最值得我們重視的是他表裏一致地一貫堅持以德爲主的原則。曾氏的這種識人原則，既是中國傳統太上立德理念的實踐，也是立足于他對當時官場的透徹認識和對大任要職的深切理解。

曾氏做過十二年的京官，對當時的官場狀況是十分清楚的。當時的官員既不缺學問知識，又不缺應對才幹，他們最大的缺失是責任心、是非觀與道德操守，缺乏奮發向上的精神。

咸豐元年，身爲禮部侍郎的曾氏便嚮新登基的咸豐帝上疏陳言，尖鋭地指出官場的大弊病：『十餘年間，九卿無一人陳時政之得失，司道無一摺言地方之利弊，相率緘默，一時之風氣，有不解其所以然者。』又準確地概括官員的爲官狀態：京官退縮、瑣屑，外官敷衍、顢頇，幾乎所有的官員都但求苟安無過，不求振作有爲。曾氏對此憂慮重重：『將來一有艱巨，國家必有乏才之患。』曾氏的預言真的説中了。九個月後，太平天國事起，從朝廷到地方，從政府到軍隊，無一人能擔負起戡亂平叛之重任。大清朝的體制内，是真正的人才缺乏了！

責任心、是非觀、操守、精神等等，都屬于德性的範疇，所以，大清朝的官員們即人才群體缺乏的不是才學而是德性。到了曾氏自己組建團隊時，他便要堅定地將德性放在選拔人才的第一位。

此外，曾氏閲歷豐富，他深知處在大任要職上的人，最重要的還不是專業上的才幹，而

曾氏仍在支持左。左去西北，曾氏將後期湘軍中最有本事的將領劉松山及其老湘營送給左。左在西北用兵期間，糧餉源源不斷地從江南運到西北。左深爲之感動。得知曾氏去世後，左從前綫寄來一副深情的挽聯：『知人之明，謀國之忠，自愧不如元輔；同心若金，攻錯若石，相期無負平生。』曾左之間八年的不和，到此泯滅。

沈葆楨以御史身份從北京來到江西，本是做廣信知府，但廣信府還在太平軍手中，便先到曾氏幕府，做了曾氏的僚屬。待廣信收復，沈立即走馬上任。曾氏很賞識沈葆楨，在奏摺中特別稱贊沈葆楨夫婦保衛廣信府城的英勇表現，沈因此得到提拔。咸豐十年五月，曾氏在得知自己已被任命爲署理兩江總督後，給朝廷上謝恩摺。就在同一天裏，曾氏破格保奏按察使銜道員沈葆楨爲江西巡撫：『該道器識才略，實堪大用，臣目中罕見其匹。』曾氏于沈，可謂有知遇之恩。但沈似乎并不感恩。同治三年春，沈居然把應調南京前綫的厘金截留，爲此引起曾氏的極度憤慨，亢辭上疏。經朝廷調停之後，此事得以平和解決。過後，曾氏并沒有記恨沈，反而一再自我反省。曾氏當時是兩江總督，有節制江西省的權力。若曾氏對沈心懷怨恨，沈當然不可能再在江西呆下去。曾氏一再告誡自己，不要做權臣，要海納百川。沈乃大才，曾氏是在爲國家愛惜异才。

（四）籠絡親信

歷來做大事者，都不能缺少心腹親信。既然是大事，事情的本身一定頭緒繁多，而且必

然會有許多艱難險阻，因爲此，個人便不可能勝任，得有一個核心團隊，團隊的成員必須付出常人所不需要付出的代價，那麽主事者也就得對這批成員另眼相看，別樣相待。這些人，通常被稱爲主事者的心腹親信。對于心腹親信，主事者通常都會以高官厚禄、重用重賞作爲酬勞。

曾氏對于他的心腹親信，同樣也會用高官厚禄、重用重賞這些世俗的常規手段，除此外，他還有兩個具有曾氏特色的手段，一是用親筆私信代替公函，二是私贈腰刀。

曾氏存世的信件，除開家信外，有八千多封。這些書信大半部分寫于他帶兵打仗的年月，其中多半談的也是有關行軍打仗的事。毫無疑問，那些寫于戰爭年代的信件，應該出于他的幕僚之手。這是因爲，他有一個龐大的幕府，幕府中有一群爲數不少的書啓人員，就專司曾氏的書信草擬、謄抄、發送之職。他每天要發送數十封書信，即便別的事都不做，他也不可能做好這件事。但筆者在整理曾氏全集時，就發現不少曾氏給部屬發出調兵打仗的親筆信函。筆者常常想，這真的是曾氏親筆所書嗎？是不是幕府中有把曾氏書法摹仿得足可亂真者的代筆？後來，筆者讀到曾氏給李昭慶的信，此一疑團得以解開。同治五年二月初五日，曾氏給李昭慶的信中有這樣的話：『國藩與令兄少泉往還信均係親筆行書。』并說，與他的長兄李瀚章的信則是『幕僚所書，而親加一二紙』。李昭慶的大哥李瀚章、二哥李鴻章均是曾氏的心腹親信。李鴻章是曾氏的及門弟子，在曾氏幕府多年，後奉曾氏之命組建淮軍，其與曾氏

之羅致之也。』

當時湘軍的主要將領如江忠源、羅澤南、楊載福、彭玉麟、李續賓、李續宜、王鑫、塔齊布、曾國荃、劉蓉、鮑超、劉松山等人，幾乎全出于曾氏之門，或力薦，或提拔，或重用，皆因曾氏之識用而成爲軍事大才。左宗棠、胡林翼雖不能説出自曾氏門下，但兩人的顯赫軍功也都建築在曾氏破格薦舉的基礎上。這些人中的大部分後來又因軍功而躋身政界，成爲國家的高級行政官員，如左宗棠官封大學士、軍機大臣、閩浙總督，彭玉麟官封兵部尚書，楊載福、曾國荃都做過總督，江忠源、胡林翼、李續宜、劉蓉等人都做過巡撫。當時，大批文人經曾氏的識拔栽培，後來都成爲文化名流，如俞樾、張裕釗、黎庶昌、薛福成、吴汝綸等。一批科技人才，因曾氏的重用而成海内一流科學家、工程師，如李善蘭、華蘅芳、徐壽等。曾氏所識用的人才不僅幫助他成就了一番巨大的事功，同時也在曾氏身後爲晚清的政治、軍事、經濟、外交、文化作出了巨大的貢獻，著名的當屬李鴻章、郭嵩燾、曾紀澤、沈葆楨、容閎、聶緝槼等人。

一個并未掌管全國政權的政治人物，能識別培養造就如此大批的人才，在中國歷史上并不多見，怪不得大家在這一點上都對他很佩服，就連恨他的人也不能不服氣。那麽，他身邊這個宏大的人才局面是怎麽樣形成的呢？

二、愛才——曾氏可貴的人格特徵之一

我曾經説過，人才問題，不是一個理論上的問題，而是一個實行上的問題。也就是説，在理論上，沒有一個人會説人才不重要，或説我辦事不需要人才等等，而是在實際上對人才重不重視，是不是渴求人才的共事等，彼此之間還是有很大區別的。以我的閱歷來看，造成這中間的差别，有一個很重要的原因，即一個人在情感上對人才的喜愛程度。有的人是真心實意喜愛人才，有的人則不然。曾國藩這個人屬于前者，他是真正的愛才者。這可由他的性格中的兩點來證明。

第一，他善于看到别人的所長。在現實生活中，有許多人恰恰相反，是善于看到别人的缺點，看到别人的短處。這種性格特徵其實也不壞，有些行業就需要有這方面特長的人，如坐堂看病的醫生，如文學藝術的批評、鑒賞等等，但這種性格肯定會對人才的賞識有影響。我們翻開曾氏的文字，在談到具體人的時候，撲入眼簾的多是贊美之辭，極少見苛責譏諷一類的話。如果説，書信、序跋等是寫給别人看的，或許可能言不由衷的話，他的日記應是私秘性的文字，其中談到具體某個人時，也多這種情形。稱别人爲奇才、英才、美才這類話，常見于日記中，至于輕視鄙薄人的話，幾乎没有。這足够説明善于觀人之長應是他的性格。

愛才得先要看到别人的才幹之所在。善于發現人之所長這個性格，爲發現人才、接近人才搭建了一座便通的橋梁。他的愛才之心，曾經表白在他的一首七律中，這首題爲《武會試闈中作》的詩是這樣寫的：『禁闈蓮漏已宵深，凉月窺人肯一臨。此地頻來從案牘，吾生何日得山林？貔貅霧隱三更肅，河漢天高萬籟沉。火冷燈青無個事，可憐閑殺愛才心。』他這顆愛才之心，

因太清閑而感覺壓抑！

第二，他樂于廣交良友。樂不樂意廣泛結交優秀的朋友，這裏也有一個性格使然。有不少人就不喜歡廣交朋友，他們或內向拘謹、或清高孤傲，不願意把時間與精力花在交朋結友上。我們從流傳下來的史料中可以發現，曾氏是一個性格開朗、樂于并善于結交朋友的人。他的朋友很多。

道光二十二年十二月，他在給諸弟的家信中說：『現在朋友愈多，講躬行心得者，則有鏡海先生、艮峰前輩、吳竹如、竇蘭泉、馮樹堂；窮經知道者，則有吳子序、邵蕙西；講詩、文、字而藝通于道者，則有何子貞；才氣奔放，則有湯海秋；英氣逼人志大神靜，則有黃子壽。又有王少鶴、朱廉甫、吳莘畬、龐作人，此四君者，皆聞予名而先來拜。雖所造有深淺，要皆有志之士，不甘居于庸碌者也。京師爲人文淵藪，不求則無之，愈求則愈出。』身邊已經有許多良友了，他還要『求』，真正是樂于結交。此時的曾氏，祇不過是翰林院裏一個普通低級官員，却與賀長齡、李星沅等湘籍督撫有書信往來，而且與湘中年輕才俊交往密切，如江忠源、劉長佑、羅澤南、郭嵩燾、劉蓉、馮樹堂等人，都是曾氏未曾顯貴時的好朋友。當時京師流傳兩句話：『包寫挽聯曾滌生，包送靈柩江岷樵。』凡有請寫挽聯的，曾氏有求必應。又，他曾經掌管京師長郡會館事務多年。所有這些，都見他性格中的樂于與人打交道的一面。

三、始終清晰地認識到人才是決定的因素

世界的一切事，歸根結底都是人辦成的。從根本上說，人才是事業的決定因素。這句話，什麽時候都是對的。第二次世界大戰，最後是原子彈的一錘定音，看起來似乎是武器在起著決定性的因素。其實，原子彈也是人造出來的。所以，說到底還是人的問題。

但是，這個認識并非每個人都是清晰的，不少人往往容易在具體事情上模糊。曾氏對此從來不模糊。早在朝廷做部院大臣的時候，他就在爲人才的缺乏而擔憂。

道光三十年三月，咸豐皇帝初登基，曾國藩便上了一道奏摺，這道摺子專門談的就是人才問題。他認爲『今日所當講求者，惟在用人一端耳』。對于剛做皇帝的青年奕詝來說，國家政務千頭萬緒，從哪裏入手？曾國藩告訴他，其他的都可擺在一邊，列在首位的祇有一點，便是用人。

咸豐二年底，曾氏應詔出山辦團練。面臨政權近于癱瘓、財政已經枯竭、社會趨向背叛的大亂世，要組織一支新的軍事團隊，究竟當先從何處下手？對于這點，曾氏的頭腦异常清醒。他說：『無兵不足深憂，無餉不足痛哭，舉目斯世，求一攘利不先、赴義恐後、忠憤耿耿者不可亟得，此其可爲浩嘆！』

兵勇與餉銀的缺乏，對湘軍來說，還不是最大的困難，創建初期的湘軍，最大的欠缺是沒有血性旺烈的人才。他的九弟初次帶兵，他向九弟傳授經驗，第一條就是：『帶勇之道，

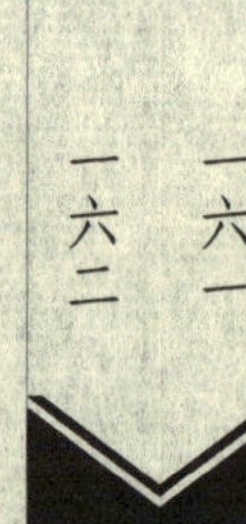

以體察人才爲第一義。』故而對于訪求人才這件事，他是『夢寐以求之，焚香以禱之，蓋無須臾或忘諸懷』。那個時候，他向各處寫信，最主要的事情，便是請他們推薦人才：『如有文可爲牧令，武可爲將領者，望無惜時時汲引，冀收拔茅連茹之效。』

他自己平時所做的一項最重要的工作，也就是去發現人才，羅致人才。聽説彭玉麟賢能，但因居母喪不願出山，曾氏便三番五次地親自寫信給他，懇請他共襄大業，彭終于爲盛情所感投奔曾氏。知道胡林翼帶領六百黔勇走到湖北金口，因吳文鎔戰死武昌失守而進退兩難時，曾氏一面請湖南省政府接濟胡林翼，一面向朝廷奏請留胡在湖南。

湘軍是一支地方性的軍事力量，營頭的建立，通常都是以地區爲基礎，所以湘軍中便有新寧勇、平江勇、寶慶勇等等，官與兵都來自一個縣一個府，帶兵的統領也衹相信重用本境之人，拒絶排斥外來之客。如曾國荃做吉字營的統領，用的全是湘鄉人，到後來甚至衹用屋門口的人。作爲湘軍的統帥，曾氏則是一個器局開闊的人。他明白所辦的事并不衹是湖南的事，而是全國的事。所以，組建湘軍之初，他就知道要『舉天下才』來『成天下事』。我們常説的湘軍，其實是一個湘軍集團，或説湘軍系統，這裏面就有很多擔負重要職責的外省人，如四川人駱秉章、鮑超、李榕、嚴樹森，陝西人閻敬銘，廣東人丁日昌，貴州人朱洪章等。曾氏幕府更是網羅四海才俊，如安徽人李鴻章、李瀚章、吳汝綸、方宗誠，江西人許振禕，江蘇人錢應溥、薛福成、趙烈文、汪士鐸、華蘅芳、徐壽，湖北人張裕釗，浙江人李善蘭等。所以黎庶昌説他是『囊括天下之才，而各任其器使』。

滿人入關兩三百年間，名義上是滿漢一家，實際上是滿漢對峙。滿人自認血統高貴，瞧不起漢人，漢人則視滿人爲無用，從骨子裏不把滿人當回事。湘軍從上到下更是討厭滿人，曾老九一句『豈能仰鼻息于膻腥之輩』的話，很典型地代表了這種情緒。但曾國藩對滿人却不一棍子打死，他在朝廷爲官多年，知道滿人中也大有人才。他的座師穆彰阿就是滿人，曾氏一直對他很尊敬。他在湖南辦湘軍，做的第一件大事，便是將參將塔齊布破格提拔爲提督，這中間固然有政治考慮在内，但塔齊布首先是一個將才，這却是不可否定的。在以後的戰事中，他對滿人多隆阿、都興阿等人都很重視，即便是心術不正的官文，他也時時注意禮貌相待。這沒有别的，因爲在鎮壓太平軍這個事業面前，滿漢目的是一致的。信任重用有才幹的滿人，是事業的需要。在後來辦洋務中，曾國藩還打破疆域界限，重用美籍華人容閎以及英國傳教士傅蘭雅、美國傳教士史蒂文生等人，利用他們的長處來爲中國的自强事業服務。

所以，在咸豐十年面臨著遷不遷都這件大事，曾氏明確表示：『中興在于得人，不在于得地。』要想讓國家從頹廢中走向强盛，關鍵不在得地利，而在于得人賢。這正是中國傳統的『天時不如地利，地利不如人和』思想的繼承。我們看晚清歷史，曾經的確有過一段短暫的相對平静，這就是所謂的『同光中興』。之所以有這麼一個時期，完全是依賴著曾國藩、左宗棠、李鴻章等人苦力支撑。待到曾左謝世，留下李一人，孤掌難鳴，國勢便一天天衰落，

但還能勉强支持，其原因就是還有一個慈禧。這個老佛爺雖然已經糊塗透頂了，但她在滿蒙親貴和漢大臣中還是很有些威信，等到她一死，朝中再無如此人物，大清也就很快崩潰了。

到了晚年，因爲地位和名望到達極點，他更提出人才學上的極致理念，即領袖人物個人對社會風尚所起的影響作用。他說：『風俗之厚薄奚自乎？自乎一二人之心而已。』曾氏所說的『一二人』，就是身居最高位的領導者。他們因所處地位最高，所擁有的權勢最大，故而對社會的影響面也便最廣。曾氏的這個理念是他人才思想中的一個很重要的部分。一方面，他是在傳承儒家治理社會的一種理想信念，即國家領導人要以自己的榜樣以及相應的政策去感化人心培養醇厚的風俗，這是治國的最根本手法，即《詩經·毛詩序》中所說的：『先王以是經夫婦、成孝敬、厚人倫、美教化、移風俗。』另一方面，也説明了曾氏本人的人生抱負。曾氏是一個忠實的儒家信徒，他并不把平定太平天國作爲自己一生的最大功業，而是將移風易俗、陶鑄人心作爲自己的崇高使命，而要完成這樣的使命，首先得從自身做起。曾氏越到晚年越注重自身的形象，其原因就在這裏。他試圖將自己打造成當時的聖賢，也就是試圖將自己打造成當時全國人民的典範人才。

四、建立在學問閱歷與智慧基礎上的識人之方

（一）以德識爲主

對人的衡量，大致在兩個方面，即德與才。曾氏是如何看待這二者之間的關係呢？他說：『德如水之源，才如水之波瀾；德如木之根，才如木之枝葉。若二者不可兼顧，寧可取無才而不可取無德。』這段話鮮明地表達了他的觀點：德爲主，才爲次，寧可無才不可無德。

才即人的才幹能量，大致可由三個方面來決定：一是具體做事的能力，這種能力通常也被簡稱爲才；一是學歷與資歷，通常稱之爲學；一是思想、眼光、見識等等，通常稱之爲識。對于這三個方面的排列次序，曾氏認爲：辦大事者以識爲主，以才爲輔。又説，他贊成諸葛亮的觀點，即才須學，學須識。這兩段話讓我們看到他的序列爲：識、學、才。

據此，我們可知，曾氏對人才的看法，重在德與識，而將才與學排在後面。這恰恰與世俗社會重才學輕德識的識人之方相反。他選擇將領，開出四個必備條件：一要才堪治人，二要不怕死，三要不急于名利，四要耐受辛苦。接著立刻强調最重要的是要有忠義血性，有則四者相從以俱至，無則貌似四者，終不可恃。忠義血性就是德。

尤其是湘軍集團的高級管理人員的選拔，更是嚴格遵照以德以識爲主、以才以學爲輔的原則。彭玉麟堪稱典範。接到曾氏的邀請信後，彭玉麟來到湘軍大營，對曾氏說，他是出于保衛周公孔孟之道的義憤來的，不求保舉，不求推薦，功成後即回家，願以寒士出，以寒士歸。曾氏敬佩彭的高尚情操，將水師管理的重任交給他。彭果然不負重托，與楊載福一道將水師建成一支過硬的軍隊。後來他居然推辭諸如安徽巡撫、漕運總督、兩江總督、兵部尚書等掌控實權的重要職務，而且把他因侍郎銜而享有的養廉費全部交公，最終以一寒士病逝于衡陽

做出絕大事業來的。在他的心目中，羅澤南是士人中志趣高雅者的代表。他在《羅忠節公神道碑銘》中說：羅家赤貧，有次冬夜回家，但家人無米煮飯給他吃。十年之間，接連喪失至親十一人，妻子因連喪三子而哭瞎眼睛。但即便處于這等困境，「公益自刻厲，不憂門庭多故，而憂所學不能拔俗而入聖；不恥生事之艱，而恥無術以濟天下」。羅的志趣在拔俗入聖，經濟天下。正是因為追求與品位如此之高，才會有後來的「湘軍之母」。

曾氏對那些私心太重、官氣太重、嗜欲太重、好說大話、好出風頭者很不喜歡。他曾對官氣作過這樣尖刻的批評：「官氣多者，好講資格，好問樣子，辦事無驚世駭俗之概，語言無此妨彼礙之弊，其失也奄奄無氣，凡遇一事，但憑書辦、家人之口說出，憑文書寫出，不能身到、心到、口到、眼到，尤不能苦下身段去事上體察一番。」他對好說大話者很討厭：「近來書生侈口談兵，動輒曰克城若干、拓地若干，此大言也。又好攻人之短，輕詆古賢，苛責時彥，此亦大言也。好談兵事者，其閱歷必淺；好攻人之短者，其自修必疏。」鑒于這些方面，他向部屬擇定識人的一個重要原則：有操守而無官氣，多條理而少大言。

（三）從小事上識人

小與大，有著明顯的差別；小與大，也有著密切的關聯。老子說：千里之行，始于足下，九層之臺，始于壘土；合抱之木，起于毫末。成語說見微知著，一葉知秋。俗語則說滴水成河，粒米成箕。說的都是小與大之間的緊密關聯。歷來有閱歷有智慧的人，都善于從小中識大，

以小節來看大節。

作為儒家信徒，曾氏篤信朱熹「一絲大學問，皆在家庭日用之間」的古言。他常用這句話來教誨他的後人，讓他們從家庭日用間走起，一步一步地成長，以後才好做絕大學問，擔當絕大重任。比如他教育兒子，「誠，從不說假話做起」，「勤，從不睡懶覺做起」，「不[illegible]，從不坐轎做起，從不呵斥僕人做起」，「謙，從不敢笑別人做起」等等。

正是基于這種認識，曾氏習慣于也善于從小處來識別人。

綠營低級軍官塔齊布，是他賞識的人。他看重的是塔身為軍官，但每次訓練部卒，不論冬夏都短衣草鞋，身先士卒。他給朝廷的薦摺便是從這個小事上提起。楊載福後來成為湘軍水師統領，并以武員改授陝甘總督，這在那個時代號為異數。書生出身的李續賓後來成為湘軍名將，他也是曾氏所重用的高級將領。曾氏看重他沒有當時許多文人好說大話的毛病，平日多沉默寡言。李死後，曾氏為之撰文，特意指出這一點：李「于大庭廣座之中，含容淵默，終日不發一言」。從太平軍中投誠過來的陳國瑞，曾國藩也重用他。曾氏在陳的批文中說：陳有許多缺點，但在聽忠臣義士、孝子節婦的故事時，則表情嚴肅，聚精會神。他于此知陳良厚實，具名將之資。

他的親外甥[illegible]投奔軍營，曾氏本擬留在營中，但外甥在軍營以少爺自居，目中無人。出身貧卻不知儉樸，在軍營裏吃飯，每每將飯中的穀粒挑出。曾氏雖多次告訴外甥要去掉這個毛病

功名看氣概，富貴看精神，主意看指爪，風波看脚筋。若要看條理，全在言語中。

可惜的是，他没有把這八句秘訣展開。在咸豐九年三月八日的日記裏，他説：『夜思相人之法，定十二字，六美六惡。美者曰長、黄、昂、緊、穩、稱。惡者曰村、昏、屯、動、忿、遁。』這十二個字中除長（個子高）、黄（臉皮黄）、稱（身材匀稱）三個字屬于天生的外形外，其餘的九個字，昂（挺拔）、緊（緊凑）、穩（穩重）、村（粗鄙）、昏（糊塗）、屯（不開朗）、動（浮躁）、忿（脾氣不好）、遁（遇事躲避），都是屬于氣概、精神方面的。

梳理曾氏關于人物品評的相關文字，可以看得出，曾氏看人主要看眼、心、神、氣、行、言六個方面，他看重的是眼亮、心實、神定、氣斂、行重、言少。

筆者在仔細琢磨曾氏看相的八句秘訣後，從中得到一個啓發。曾氏這八句話説的是人的兩個方面的相。一個是有形的硬件，即鼻、眼、嘴唇、指爪、脚筋等。這些先天生成的東西决定人的心性、心術、本質。一個人是正派還是奸邪，是真誠還是虚僞，遇事能否有主見挺得住等等，多半靠先天的稟賦在起作用。另一個方面是無形的軟件，即精神、氣概、言語等，這些後天修煉的東西决定著人的能力、功名、富貴等。

曾氏還説過一句話：子弟賢與不肖，六成本于天性，四成源于教育。結合這句話，細細思索上面的八句秘訣，讓人獲得的啓示是，一個人的心術改變比較難，但成就的獲得，依靠努力則有可能實現。所以，我們常見有些成就、有地位、有權勢、有財富的人，道德品性上并不好。

五、領袖群倫的真本事在于用人

曾氏的用人之方，主要體現在這樣幾個方面。

（一）廣收慎用

曾氏去世後，江蘇巡撫何璟上疏朝廷，説曾氏『一材一藝，罔不甄録』。此話稱贊的是曾氏對人才的廣收。他自己説，在這方面，他的原則是『收之欲其廣，用之欲其慎』，『寬以求之，慎以用之，庶臨時無乏才之患』，『不輕進人，即异日不輕退人；不輕親人，即异日不輕疏人』。

當時是一個亟須人才的時期，曾氏爲得人才，是夙夜憂之，朝夕禱告，凡與至交友朋寫信，他都不忘請他們薦舉人才。對于前來投奔的人，衹要具有某個方面的專長，他都廣開接納之門，而面對著從五湖四海涌進軍營的人才，曾氏在使用尤其在重用上，則始終堅持審慎的態度。他有著名的『五用五不用』的規矩。一曰將領用書生而不用綠營中高級將官。書生較爲單純，有血性，有抱負，綠營中高級將官，軍營驕暮習氣重。二曰管理人員用紳士而不用官員。紳士未入官場，身上有生氣，官員久處染缸，多世故平庸。三曰勇丁用山農而不用城市游民、逃散兵痞。山農樸實聽話，游民油滑，兵痞散漫。四曰文人用木訥而不用好大言者。孔子曰剛毅木訥近仁，木訥者多實在，大言者多輕薄。五曰用軍營中實戰立功者而不用江湖俠客。軍營中實戰立功者踏踏實實，知根知底，江湖俠客大多名不副實，即便真有本事，也衹是個

米粒，但總不改，曾氏最後決定不用，打發他回老家。

許多人稱讚曾氏能識英雄于微末之中，其實在微末時期不可能做出大事來，需要有眼光有智慧的人，從細事末節上去識別，讓其人脫穎而出。

（四）從長相上識人

曾氏是一個注重看相的人，流傳下來的曾氏文字中，有一批他接見部屬的隨手記錄。這些文字很有趣。我們從中舉一例來看。咸豐八年十月二十一日，曾氏接見熊登武。當日，他對熊登武這樣記載的：「熊登武，廿五歲，八都人，青三之徒。目有精光，三道分明。鼻準通梁方，口有神而紋格，略似猛國。三年入羅營，從攻江西。四年從攻武漢、田家鎮。六年入沅營，未假。本生父故，母存。過繼父母亡。」四個多月後，曾氏再次接見熊，又做了記錄：「熊登武，中古，有沉之氣，睛黃，明白。」

從這兩次的記錄中，我們看到曾氏對部屬外貌很注重看相。他看的相，分兩個方面：一為有形的，如眼睛、鼻子、嘴；一為無形的，即神情方面的表現，如精光、有神、明白。他對熊登武感覺不錯，在熊的名字上畫上兩個圓圈。

熊登武是吉字營中的重要將領，跟著曾國荃最先攻進南京城。由曾氏保薦，熊以記名總兵身份交軍機處記名，無論提督，遇缺儘先提奏，并賞穿黃馬褂，賞給騎都尉世職，不久便出任福山鎮總兵。在數十萬湘軍的投奔者中，能登武職且屢屢高升運者，曾氏對熊的印象，與熊的命運是大致吻合的。

黎庶昌撰的曾氏年譜記載，道光二十四年，曾氏在京師第一次見到江忠源，當時江忠源是一個流落京師的舉人。曾氏與他談了一個多小時的話，又目送他消失在胡同中，然後對陪同江來會見的郭嵩燾說：「京師求如此人才不可得。」又說：「是人必立功名于天下，然當以節義死。」後來太平天國事起，江忠源在家鄉湖南招募勇，戰功卓著，以一代理縣令的身份很快便升至安徽巡撫，然不久兵敗投水自殺。江忠源的經歷，竟然與曾氏的預測完全一致。

容閎在《西學東漸記》一書中記錄他與曾氏在安慶總督衙門中的首次見面：「寒暄數語後，總督命予坐其前，含笑不語者約數分鐘……又以銳利之眼光將予自頂及踵，仔細估量，似欲察予外貌有異常人否。最後乃雙眸炯炯，直射予面，若特別注重予之二目者。曾氏說：予觀汝貌，決為良好將材。」

曾氏與人初次見面，喜歡察看其人的相貌，并由此對其人作出一番判定。他的這個習慣在《西學東漸記》這部書中得到了生動傳神的記載。

湘軍一個名叫李金暘的營官投降太平軍。曾氏在與人書信中說：「此人頭上毛髮橫

宜又賞。」

以上的這些事實，充分地證明曾氏是重視看相，并善于看相的，他也常以看相來識別人才。他在同治四年十二月十三日的日記中寫了八條「看相秘訣」：邪正看眼鼻，真假看嘴脣，

人英雄而不是團隊首領。

（二）因量器使

談到人才的使用，曾氏說過一段深刻的話：『雖有良藥，苟不當于病，不逮下品；雖有賢才，苟不當于用，不逮庸流……千金之劍，以之析薪，則不如斧；三代之鼎，以之墾田，則不如耜。當其時，當其事，則凡材亦可奏神奇之效。故世不患才，患用才者不能器使而適宜也。』

如果不是對症，即便很貴重的藥也比不上有效的草根木葉；雖是治國大才，如果使用不當，他甚至不如一個普通的工人農民；價值千金的越王之劍，如果用來劈柴，它一定不如斧頭；商周青銅寶鼎，如果用來耕田，它絶對不如犁耙。若處于恰當其時、恰如其分，則平平凡凡的人也可以做出不平凡的成績來。所以，每個時代都不必擔心缺乏人才，值得擔心的是用才的人不能將人才當作器具而恰當地使用。

這番話的深刻之處在于：在曾氏的眼中，凡人都可以成爲人才。人才缺失這個現象的造成，不在被用者，而是在使用者。他說：山不因大匠而別生奇木，世不因賢主而另降异材。大匠手中的奇木，賢主身邊的异材，都不是上天特別爲之準備的，而是出于他們的恰當使用。他讀韓愈的《馬説》，發出這樣的嘆息：『謂千里馬不常有，便是不祥之言。何地無才，惟有善使之耳。』

曾氏將他的這種用人理念，歸納爲四個字：因量器使。量者，能量。器者，器具。量有大有小，

有全有偏，去掉求全求大的意識，則隨處都見人才；器的功用有此有彼，善于使用，則都有功效。郭崑燾長于奏疏，曾氏將他視爲文膽，每月發五十兩銀子的高薪。羅伯宜每天可以寫一萬二千個小楷，曾氏用他做高級謄抄工，每月也發三十兩銀子，其收入相當于六個家教老師。

（三）愛惜异才

正所謂林子大了，什麽鳥都有，曾氏身邊的人才多了，也便各色各樣的人都有，其中免不了才高心氣也高的人。此種人中有的才具堪稱卓异，而心氣高也可能使得他敢于凌駕上司。與這種人相處，真是對處上位者胸襟氣度的考驗。

曾氏對這種卓异之才，本著爲事業、爲國家珍惜人才的觀念給予特別的寬容與愛護，左宗棠、沈葆楨便是其中頗具代表性的兩位。

曾左本是一對親密戰友。曾氏早期辦團練，受到湖南的冷遇與緑營的欺侮，左一直護衛他支持他。後來，左因樊案躲進曾氏的軍營，曾氏保護他，同時上疏爲左講情。左在曾氏軍營得到特別禮遇，并爲曾氏辦理公牘事宜。被視爲揭開洋務運動序幕的名摺《遵旨復奏借俄兵助剿髮逆并代運南漕摺》，便出自左之手。曾氏的保摺起了作用。咸豐帝不但不殺左，還讓左組建楚軍協助曾。左于是奇迹般地建功立業，又火箭般地飛黃騰達，不過兩三年的時間便做了閩浙總督，與曾氏平起平坐了。不料，到了南京打下後，左上奏朝廷，說曾氏兄弟放走了幼天王與李秀成。曾左因此失和，直到曾氏去世，兩人之間再無私人聯繫。即便這樣，

功名看氣概，富貴看精神，[illegible]看指爪，風波看腳筋，若要看條理，全在言語中。

可惜的是，他沒有把這八句話展開闡明，[illegible]

[illegible]人之法，[illegible]六美六惡，美者曰：長、黃、昂、[illegible]

[illegible]長（[illegible]）、黃（[illegible]）、[illegible]昂（[illegible]）、緊（[illegible]）、穩（[illegible]）、[illegible]動（[illegible]）、念（[illegible]）、通（[illegible]）[illegible]

[illegible]曾氏[illegible]人物品評[illegible]文字，可以[illegible]

[illegible]心、實、神、定、氣、[illegible]

[illegible]

曾氏還說過[illegible]

[illegible]努力則有可能實現[illegible]

并不存。

五、曾國藩識人的真本事在于用人

曾氏的用人之方，主要體現在[illegible]四個方面。

（一）廣收慎用

曾氏去世後，[illegible]

[illegible]一曰[illegible]用書生而不用官員[illegible]二曰[illegible]三曰[illegible]四曰文人用木訥而不用大言者，孔子曰：「剛毅木訥近仁。」木訥者多實，大言者多華。[illegible]五曰用軍營中實戰立功者而不用江湖俠客。軍營中實戰立功者[illegible]實，知根知底，江湖俠客大多名不副實，即使真有本事，也[illegible]

他甚至願藉畫餅充飢！當時與他共在朝中爲官的兵部侍郎戴熙是個大畫家，尤善畫竹。戴侍郎爲别人畫了一幅竹林畫，他在此畫上題了一首長詩，淋漓盡致地將他的鄉情表述得利索痛快。筆者認爲，這首詩乃曾氏詩詞中的上乘之作，謹全録于次，與讀者共享：『我家湘上高嵋山，茅屋修竹一萬竿。春雨晨鋤斷玉版，秋風夜館鳴琅玕。自來京華昵車馬，滿腔俗惡不可删。洞庭天地一大物，一從北渡遂不還。苦憶故鄉好林壑，夢想此君無由攀。嗟君與我同里社，誤脱野服充朝班。一别篬筤謝猿鶴，十年臺省翔鵷鸞。魚鬚文笏豈不好，却思鄉井長三嘆。錢塘畫師天所縱，手割湘雲落此間。風枝雨葉戰寒碧，明窗大几生虚瀾。簿書塵埃不稱意，得此亦足鎸疏頑。還君此畫與君約，一月更藉十回看。』

欲藉紙上的竹林讓自己返回高嵋山下的茅屋修竹中，甚至向畫的主人提出一月藉看十回的要求，急切的思鄉之情真到了可笑的地步。透過這可笑的舉措，我們可以看出故園的山山水水在他的心中有著多麽重的分量！然而遺憾的是，自從二十九歲那年走出家園之後，在漫長的三十餘年的仕宦歲月中，除開兩次爲父母守喪，回家中短暫地住過一段時期外，曾國藩再無緣長與涓水嵋山爲伴，他的『何時却返初衣好，歸釣燕溪縮項魚』的願望，永遠兑現無期。

同治十一年初春，他帶著這個巨大的遺憾客死他鄉，家中爲他興建的那座閎大的宰相府，它的宰相主人其實連一天都没住過。

識人用人

曾氏以一書生而建赫赫軍功，原因固然很多，善于識人用人，應該説是其中最重要的一個因素。

下面，我們略微展開一下來談談這個話題。

一、一個史所罕見的人才群體

曾國藩在識人用人這方面究竟給當時人留下什麽印象？他的人才隊伍到底是個什麽狀況？我們先來看看兩段與曾氏同時代人所留下的文字材料：

江蘇巡撫何璟説：『古之名臣謀國效忠，惟以人事君爲急。曾國藩昔官京朝，即已留心人物，出事戎軒，尤勤訪察，雖一材一藝罔不甄録，而又多方造就，以成其材。』『其苦心孤詣，使兵事歷久而不敗，人材愈用而不窮者，則在以湘勇之矩矱推行于淮，化濠泗剛勁之風爲國家幹臣之用。』

容閎在《西學東漸記》中，談到同治二年兩江總督身邊的人才群體時説：『當時各處軍官，聚于曾文正之大營中者，不下二百人，大半皆懷其目的而來。總督幕府中亦有百人左右。幕府外更有候補之官員，懷才之士子，凡法律、算學、天文、機器等等專門家無不畢集，幾于舉全國人才之精華彙集于此。是皆曾文正一人之聲望道德，及其所成就的功業，足以吸引

的親密程度又要超過乃兄瀚章。于此，我們可知，曾氏對于最親密的心腹，所有的信皆親筆所書，稍微次一等的則由幕僚爲主書寫，自己再添上一兩紙，以示親切。就是這些帶著體温的親筆信函，温暖了曾氏與他的親信之間的情誼，將彼此結成一個利害相關、情感相繫的團隊核心，共同打造驚天動地的大事業。野史上説，湘軍集團中有些高級軍政人員，仗著勞苦功高，并不把朝廷放在眼裏，軍機處下達的諭旨，他們居然可以置之不理，而曾氏的一紙手書，却能令他們爲之千里驅馳。曾氏的親筆信函所帶來的功效就有如此之大！

咸豐七年十月，曾氏在家丁父憂。初四日這天，他給先行辭家赴前綫的老九寫信，内中有這樣幾句話：『古之成大事者，規模遠大與綜理密微，二者闕一不可。……余曾派褚景昌赴河南采買白蠟杆子，又辦腰刀分賞各將弁，人頗愛重。弟試留心此事，亦綜理之一端也。』曾氏告誡老九：辦大事的人，既要有高遠的全局性的宏觀規劃，又要有小事小節上的細微踏實的思考處置，并以自己打造腰刀分賞部屬爲例，説明如何來做密微綜理。曾氏無意間給我們透露了他籠絡親信的一個重要手段。可惜，由于史料的缺失，我們已不能確鑿地弄清楚此事的具體實施情况：曾氏一共打造了多少把腰刀，具備什麽條件的人，纔有資格得到一把這樣的腰刀，以及戰争期間，共有多少湘軍將士得過這種榮譽等等。但我們可以確知此項籠絡手段收到了實際效應，因爲『人頗愛重』。

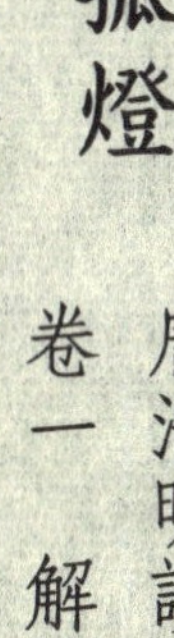

（五）多選替手

同治元年四月，曾氏對已成大氣候的吉字營統帥曾國荃，説了幾句兄弟間掏心窩子的貼己話：『弟軍萬八千人，總須另有二人堪爲統帶者，每人統五六千，弟自統七八千，然後可分可合。杏南而外尚有何人可以分統？亦須早早提拔。辦大事者，以多選替手爲第一義，滿意之選不可得，姑節取其次，以待徐徐教育可也。』

替手就是代替自己的人，部分代替的人爲副手。一個做大事業的人，豈可没有副手？必須留心觀察，有的可即刻提拔，有的則可儲爲後備，這是辦大事業者第一等重要的事。全面代替的人，則爲接班人，此事比選副手更爲重要。湘軍統帥曾國藩，爲自己的大事業選拔了許多副手，他也爲自己著意栽培、精心安排了一個接班人，那就是李鴻章。

李鴻章似乎是上天著意爲曾氏配置的全盤替手：同年之子，及門弟子、青年翰林、團練頭領、貼身幕僚、淮軍領袖。儘管李鴻章并非曾氏眼中最滿意的接班人，但在那個時代，李無疑是綜合素質最高的人。對于曾氏來説，無論生前與身後，歷史已經有力地證明，李鴻章都是他最合適的替手。在曾氏生前，李很好地了結曾氏經手却未辦好的兩件大事：一爲平捻，二爲天津教案結案。在曾氏身後，李也很出色地爲曾氏辦了兩件大事：一爲將曾氏開創的洋務運動，做成轟轟烈烈、改變中國的絶大事業。一爲將曾氏的聲名形象努力地維護。

世間不少强權人物，一旦離世，聲名立墜，形象頓毁，而墜毁其人最爲得力的，便是他的接班人。曾氏去世後，李鴻章執掌大清王朝的軍事外交大權長達三十年之久，成爲那個時

是另外一些優長。這些優長體現在下面幾個方面：一爲忠誠度，要忠誠信仰、忠誠事業、忠誠承諾、忠誠職守、忠誠團隊等等。二爲表率性，要以身作則，以榜樣的力量來引導、感化屬下，最高的表率則是具備一種人格上的感召力。三爲協調力，要有協調各方，彙聚合力的本事。四爲承受力，不僅要有承受艱難、困苦、風險、災害等來自負面影響的力量，也要有承受得起榮譽、贊揚、鮮花、掌聲等來自正面影響的力量。五爲包容量，要有林宿千鳥、海納百川的氣度與涵養。

曾氏説：端莊厚重是貴相，謙卑含容是貴相。心存濟物是富相，事有歸著是富相。富貴富貴，人人所欲。在曾氏看到，能給人長久的富與貴，主要是源于德性方面而不是源于才幹方面的因素。

在用人上，曾氏『因量器使』的觀念是最值得看重的。所有人的身上都有長有短，即便很杰出的人，他也會有不少短處，即便很平庸的人，他也有某些長處，所謂『尺有所短，寸有所長』，道理就在這裏。用人者的本事，在于看出被用者的長處在哪裏，短處在哪裏，揚長避短，擇善而用。這就是我們使用器具的方式。因爲器具的長處短處是明擺在那裏，使用的時候一般不會失誤。人身上的長短，則不容易一眼就看出，這裏固然有一個用人者的眼光利鈍的問題，但用者必須得有將被用者視同用器的理念。有了這個理念之後，纔會有心去發現別人的長短，從而將大才、小才、异才、凡才等各色人才恰如其分地安置使用，使他們各安其位，各逞其才。

在育人上，最讓人感懷的是曾氏將倫理情感帶進軍營幕府等公共領域。他以父母望子女

成人、師長盼學生成才的那種心態去培養教育下屬、將士，爲下屬、將士的前途著想，爲他們的終生成就著想。有這樣具父母師長情感的領導，又怎能没有如子弟如學生似的部屬，又何愁人才不層出不窮呢？曾氏的這種育人理念，就是中國傳統文化中的家國一體的情懷。

保皇派與掘墓人

我今天給大家講的題目是《清王朝的保皇派與掘墓人》，副標題爲《曾國藩與晚清政局》。大家立刻就會想到，清王朝的這個保皇派與掘墓人，指的就是曾國藩。不錯，正是曾國藩。于是，大家可能就會議論了，這個話怎麽説呢？既然是保皇派，怎麽又會是掘墓人呢？再説，清王朝的掘墓人，明明是孫中山等革命派，怎麽會是曾國藩呢？這些疑問都提得很好，我來慢慢地述説。

先説曾氏的保皇派。大家都知道他是保皇派，但是不一定知道，他不是普通的保皇派，而是一個艱苦嘗盡委屈受足，將一座摇摇欲墜的大厦以一木獨支的氣概，霸蠻支撑了五十年的保皇派。我從下面幾個方面來説説他的這些苦和蠻。

一、一個并不情願出山的團練大臣

咸豐二年年底，正在家裏爲母親守制的前禮部侍郎曾國藩，接到朝廷令他出山做湖南團練大臣的諭旨。這是朝廷利用民兵來協助地方政府的戰略部署的第一步，在此後兩個月内還任命了四十二個團練大臣。出乎朝廷意料的是，曾氏并没有接受這個任命。他在給朝廷的辭謝奏稿中講的理由是，他要按制度給母親守喪，不能以重孝之身出山辦公事。

這當然是一個很正當的理由，但决不是唯一的，甚至可以説也不是最主要的。根據現存

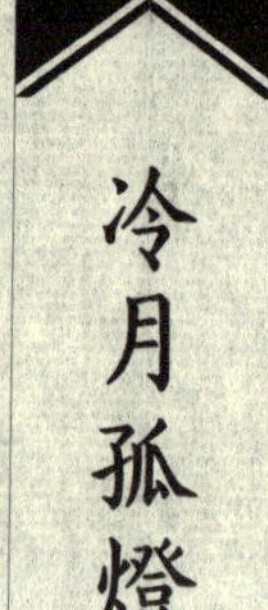

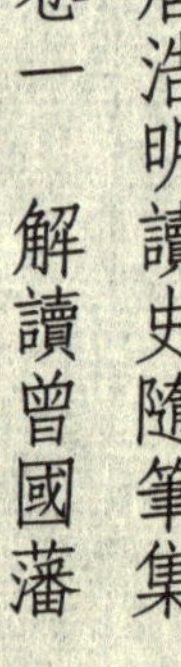

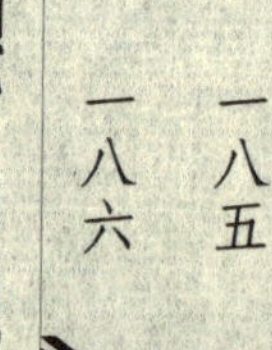

的曾氏其他文字綜合研究，至少還有幾個很重要的原因，使得他不願意領旨出山。

（一）他是個書生出身的文職官員，對軍事很外行。

（二）從中央到地方，多年來已養成一股疲沓頹廢、不思作爲的風氣，湖南官場尤爲突出。就在不久前，原湖南巡撫、布政使等高級官員便因貪污營私舞弊、辦事顢頇而撤職查辦。這不是一個辦事的時代。

（三）八旗、緑營驕横而腐敗，難以合作。

（四）民生凋弊，人心浮動，底層百姓渴望改變現狀。

（五）太平軍厲害，團練于事無濟。如果辦類似于軍隊的團練，則朝中又無强有力人物的支持，很有可能招致猜疑。

這五個方面的原因，他一個都不能説，唯有推辭纔是最明智的選擇。但後來，局勢越來越嚴峻，不容許他推辭，祇得硬著頭皮出來。但他的這五點顧慮一個都没有改變，這就注定他要面臨著十分險惡的局面，日後的一切艱難困苦、委屈打壓，就這樣宿命般地注定了。

二、在太平軍『民族大義』的旗幟面前，曾氏祇能高舉『衛道』的大旗來争取漢族士林的支持，但這無形之中又與滿洲權貴的隔閡擴大

太平軍起義，它所高舉的最鮮明的一面大旗就是『民族大義』。這面旗幟，在太平天國的初期，爲這場運動争得了人心。曾氏在這面旗幟面前也顯得無力，但他不久巧妙地打出了

我今天給大家講的題目是《清王朝的保皇派與漢奸人》，副題是《曾國藩[illegible]》。

大家立刻就會想到，清王朝的這個保皇派與漢奸人，指的就是曾國藩。不錯，正是曾國藩。

于是，大家可能就會議論了：[illegible]既然是保皇派，[illegible]又會是漢奸人呢？

清王朝的[illegible]人，明明是孫中山的革命派，[illegible]是曾國藩呢？[illegible]

慢慢地說。

先說曾氏的保皇派。大家都知道他是保皇派，但是不一定知道，他不是普通的保皇派，而是一個[illegible]的大廈以一木獨支的氣概，[illegible]了五十年的保皇派。我從下面幾個方面來說說他的[illegible]。

一、他並不情願出山的團練大臣

咸豐二年，他正在家裏[illegible]的前夕，[illegible]曾國藩[illegible]練大臣的論旨。這是朝廷在[illegible]的第一步。[illegible]任命了四十二個團練大臣。[illegible]湘去稿中講的理由是，他要求[illegible]守喪，不能以軍事之身出山辦公事。

這當然是一個很正當的理由，但決不是唯一的，甚至可以說也不是最主要的。根據

[illegible]曾氏其他文字綜合研究，至少還有幾個重要的原因，使得他不願意出山：

（一）他是個讀書人出身的文職官員，對軍事很外行。

（二）從中央到地方，多年來已養成一股[illegible]不思作為的風氣，湖南官場尤甚。就在不久前，[illegible]官員便因貪污[illegible]而被[illegible]。

這不是一個辦事的時代。

（三）八旗、綠營腐敗而[illegible]，難以合作。

（四）民生凋弊，人心浮動，[illegible]百姓渴望改變現狀。

（五）太平軍[illegible]，團練于事無濟，如果不能[illegible]似于軍隊的團練，則朝中又無強有力的支持，很有可能招致猜疑。

這五個方面的原因，使他一個都不能說，唯有推辭纔是最明智的選擇。但[illegible]，局勢[illegible]他要面臨著十分[illegible]的局面。日後的一切艱難困苦，多方面打擊，就這樣給命運注定了。

他[illegible]不容許推辭，[illegible]出來。但他的這五點顧慮一個都沒有改變。

二、在太平軍「民族大義」的旗幟面前，曾氏以捍衛名教的大旗來爭取漢族士林的支持

[illegible]

太平軍宣揚，它所高舉的是鮮明的一面大旗，就是「民族大義」。這面旗幟，在太平[illegible]的初期，極有號召力，爭取了人心。曾氏在這面旗幟面前也顯得無力。但他不久巧妙地打

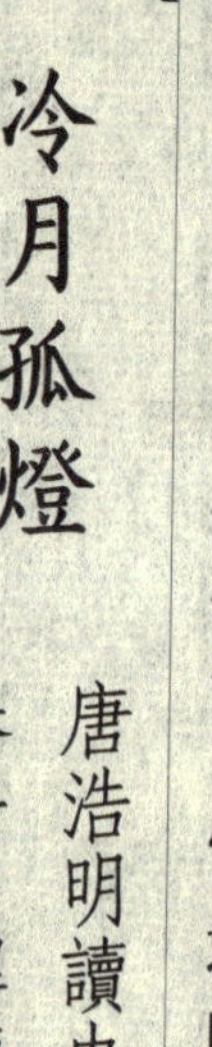

另一面大旗。面對著太平軍毀孔、燒四書五經、砸關羽岳飛塑像等全面掃蕩中國傳統文化的行爲，曾氏打出『衛道』即保衛周公孔孟傳下來的中華道統的旗幟。在衡州出兵前夕所寫的《討粵匪檄》裏，集中地體現了他的這個思想。檄文說，太平軍『舉中國數千年禮義人倫、詩書典則，一旦掃地蕩盡。此豈獨我大清之變，乃開闢以來名教之奇變，我孔子、孟子之所痛哭于九原！凡讀書識字者，又烏可袖手安坐，不思一爲之所也』。

這一招確實爲他贏來了讀書人的廣泛支持。彭玉麟就是這中間的典範，他去見曾氏，就說投湘軍一不求做官，二不求發財，祇是爲了捍衛他的信仰。『戎馬書生少智略，全憑忠憤格蒼穹』，他的這兩句詩真實地寫出了這種心志。但曾氏這樣做，却讓朝廷不太滿意。朝廷尤其被太平軍稱之爲『胡虜』的那些滿洲權貴，希望看到的是曾氏以鮮明的態度、堅定的立場、斬釘截鐵的文字來痛斥太平軍，而不是大談特談保衛孔孟之道。曾氏起兵之後，在朝廷上就爆發過一場關于湘軍究竟是勤王之師還是衛道之師的争論，雖然這場争論，因打仗壓倒一切的緣故而很快結束没有結論，但在滿洲皇室的心裏，這是一道陰影，它無形地成爲一個隔閡，從而給曾氏後來的事業帶來很大的影響。

三、湖南官場的不配合，長沙綠營的歧視，使得湘軍幾乎被扼殺于揺籃中

因爲湖南官場的無能，曾氏不得不越俎代庖，他不僅自己擅自殺人，甚至給他的部下以就地杖斃的權力。這樣便侵奪了官場的權力，長沙官場普遍討厭曾氏。因爲綠營的腐敗，曾氏不得不越權整治長沙軍界，他甚至上奏參劾了長沙協副將清德，與軍方結下很深的怨仇。在一次團丁與綠營兵的衝突中，長沙全體綠營兵集合開到曾氏的衙門前面示威，有幾十個人衝進衙門揚言要殺掉曾氏。幸而湖南巡撫駱秉章及時趕到，予以止息，但駱秉章不問是非，以各打五十板爲判決，令曾氏和團練極爲委屈。曾氏因此率領一千團勇南下衡州。懷著幾分鬥氣的情緒，他在衡州府開創了一個嶄新的局面。由一千人擴大到一萬人，并創建水師這個新兵種，加上八千長夫，團練人數接近兩萬，是一支真正的軍隊，湘軍由此誕生。湘軍這支軍隊，其實是逼出來的。

四、敗多勝少的軍事生涯

太平軍從道光三十年十二月在廣西金田村起義，咸豐三年三月便打下南京，建都立國，祇經過兩年三個月的時間，革命便告成功。而湘軍自咸豐二年底在長沙籌建，到同治三年六月收回南京，歷時十一年半。同是攻取南京，兩軍費時相差如此之大，這説明什麽？説明早期太平軍的强大，説明湘軍的仗打得艱難。

咸豐四年正月，曾氏在衡州府誓師北進，但出師即不利。先是岳州一仗，四支人馬全部失敗。接下來曾氏親自指揮的靖港之戰，以曾氏投河自殺被救而告結束。好不容易打下武漢，贏來能戰的聲譽，但軍隊一到江西，便陷入泥坑。九江打不下，湖口也打不下。水師被腰斬。隆冬之夜遭火燒，一百條戰船被燒毁，曾氏再次跳長江自殺。南昌被圍，吴城被圍。曾氏向

朝廷哭訴：『道途阻梗，呼救無門。』樟樹鎮大敗，建昌府大敗。士氣低迷，軍心渙散。到咸豐七年二月曾氏回家奔父喪時，江西大半地區仍在太平軍的控制中。曾氏在江西苦戰兩年多，幾無戰績可言。咸豐八年六月，曾氏再次出山。兩個月後，即遭三河慘敗。湘軍中的一支勁旅六千人全軍覆没，湘軍大將李續賓及曾氏胞弟國華都死于此役。湘軍士氣降落到谷底，曾氏隨時都有兵敗身死的可能。他甚至認爲太平軍有可能撲滅不了。

五、長達九個年頭的客寄虛懸，没有地方實職

湘軍的仗打得不好，原因是多方面的，其中最主要的原因是曾氏没有實職。咸豐七年六月，曾氏在一份名曰《瀝陳辦事艱難》的奏摺中向朝廷大吐苦水。他説之所以没有打好仗，是因爲他多年來一直以侍郎虛銜在帶兵，他的身份是客寄，他的地位是虛懸。如此導致的結果是，一不能給立功將士授與文武實缺，二不能在地方上徵糧徵餉。他公開向朝廷攤牌：『細察今日之局勢，非位任巡撫有察吏之權者，決不能以治軍。』這是曾氏公開向朝廷要官要權。朝廷怎麽對待他的要求呢？咸豐皇帝在他的奏摺上批道：知道了，你在家裏繼續守制吧！給曾氏當頭澆了一盆冷水。

平心而論，曾氏説的是實話，他的要求并不過分。朝廷爲什麽要這樣對待他？朝廷這樣做，完全是出于對曾氏的不信任與防範。咸豐四年八月二十七日，湘軍一舉攻克武漢三鎮，捷報遞到北京，咸豐帝很高興，説想不到曾國藩一介書生居然建此奇功。高興之餘，立即命曾國

藩做湖北巡撫。諭旨發出去後，咸豐身邊一位軍機大臣悄悄對咸豐説：曾國藩乃一在籍侍郎，在籍侍郎猶匹夫。匹夫居閭里，一呼百應，非國家之福。咸豐聽後，臉色立即變了，隨即下令，撤銷湖北巡撫的職務，改以兵部侍郎的身份帶兵東下。歷史上，曾國藩便祇做過七天的湖北巡撫。從那以後，不管曾國藩爲朝廷打了多少勝仗、奪回多少城池，朝廷對曾國藩是官不升一級，銜不加一品，一直以一個侍郎虛銜在江西、安徽一帶與太平軍周旋。朝廷這樣做，一是出于中央對地方軍事勢力的壓抑，二是出于滿人對漢人的猜疑。據野史記載，曾氏出兵之初所打出的『衛道』而非『勤王』的旗幟，也加重了滿人朝廷對曾氏的疑心。

面對著湖南軍事集團的迅速崛起，朝廷又同時采取以湘制湘的手法來分化湘軍，打壓曾氏。朝廷一方面不給曾氏地方實權，另一方面却先後授江忠源爲安徽巡撫，胡林翼爲湖北巡撫，劉長佑爲廣西巡撫。這三個人無論資歷還是功勞，都不能跟曾氏相比。咸豐十年四月，朝廷不得不授曾氏爲兩江總督。咸豐十一年底便授左宗棠爲浙江巡撫，同治二年三月又晉升左爲閩浙總督。一年多的時間，就讓左與曾氏平起平坐。曾左之間多有不合，朝廷顯然想讓左來制衡曾氏。

六、打下南京後，朝廷對曾氏軟硬兼施，逼迫曾氏自剪羽翼

朝廷這樣做，尤其是長達九年之間不授曾氏地方實權，給曾氏的保皇事業帶來極大的不利。

經過歷時十一年半的千辛萬苦，曾氏統率的湘軍吉字營終于在同治三年六月十六日將南

京拿下。朝廷給予重賞：封曾氏兄弟分別爲一等侯一等伯，大賞有功將士。表面上是皇恩浩蕩，普天同慶，背後，朝廷却給曾氏兄弟及吉字營大施壓力：一是指責放走主犯幼天王與李秀成，二是指責搶掠南京城裏的金銀財寶，三是限令上報成軍以來的往來賬目，四是壓下續保單不批。朝廷擺下一副決不寬恕功臣過錯的冰冷架勢，逼得曾氏不得不采取以『十裁其九』的裁軍行動，來保護他本人、他的家族以及整個湘軍吉字營渡過難關。

從以上幾個方面的簡單分析，我們可以充分地看到曾氏作爲保皇派，是何等的艱難，何等的痛苦，何等的委屈，何等的怨尤。他的這種心情，我們能從傳世的大量文字中輕易地看到。他甚至對友人說過這樣悲哀的話：『虹貫荊卿之心，見者以爲淫氛而薄之；碧化萇弘之血，覽者以爲頑石而弃之。』他很擔心漢代楊震被冤自殺的夕陽亭故事，會在他的身上重演。

曾氏的保皇事業做得愈是艱難委屈，就讓我們愈加看到晚清政局的腐敗糟糕，看到晚清政局膏肓之病的根子之所在，也讓我們看到曾氏作爲清王朝最後一位鐵杆忠臣的可嘆可憫。清王朝到了晚期，已經是一座百孔千瘡摇摇欲墜的大厦，如果没有曾氏這樣一木獨支式的忠臣，在太平天國時期便會崩坍。當然，如果把曾氏的保皇行爲抽象化、形而上化的話，我們也可以看到一種對事業的忠誠，面對困局的堅守，對長期艱苦所表現出的毅力，以及應付各種複雜險惡人際關係的巧妙圓通等等。這些又都體現出人類的精神和智慧。這種精神和智慧是從事各類事業所不可缺少的，它是幾千年來人類社會文明的結晶。從這個層面上來看，曾國藩是一個勵志的榜樣。

現在，我們再來説説曾國藩的掘墓人角色。

洪秀全起義目標很明確，是要推翻清王朝，建立太平天國，但他這個目標没有實現。曾國藩組建湘軍，目標也很明確，是要保衛清朝廷。曾氏實現了這個目標，一個風雨飄摇的腐朽朝廷的確暫時給保存下來，但祇不过四十多年後，這個朝廷還是垮了。史學家們在探討晚清這段歷史時，驚人地發現，爲愛新覺羅王朝掘墓揮動第一鋤的，實際上恰恰是這個鐵杆保衛它的人。這是因爲曾氏在保護清王朝的同時，却又全方位地改變了這個王朝的立國格局，破壞了它的統治體系，動摇了它的國本，也就是説曾氏已將清王朝的根基挖掉了。這個朝廷從表面上看還存在著，但實際上基礎已經被掏空，祇需要一場較大的變故，它便會立刻坍塌。具體地説，曾氏的成功，從四個方面大幅度地改變了清王朝的立國格局。

一、將世兵制改爲募兵制，改變了晚清的軍事格局

清朝的國家軍隊爲八旗和緑營。入關前的八旗本是一個軍民一體的制度，入關後，凡滿人男丁仍都有當兵的義務，故入旗當兵實際上是滿人所享有的特權。當兵吃糧，遂成爲旗人家庭的世代職業。老舍的小説《正紅旗下》寫道，一個旗人家裏生了男孩，便可以即刻申請領到一份月俸，被稱之爲鐵杆子莊稼，説的就是這個事情。

至于緑營，入營當兵成爲家族世代相傳的職業，是基于它的拔補制度。緑營有騎兵、步

作文然，作詩然，作字亦然。若能合雄奇于淡遠之中，尤爲可貴。』

『合雄奇于淡遠之中』，這句話説得多好！這是一個美學命題，道出藝術的極高境界。同時，它也是一個哲學命題，揭示出人生的極高境界。曾氏第二次出山後，一改過去矯枉過正、雷厲風行的辦事作風，而奉行寓剛于柔、內方外圓的儒道互補的理念。其晚年的人生境界，則更近于爐火純青。不可否認，長期的書法藝術熏陶，對他進入化境也起了重要的輔導作用。

游子的故園情結

離開湖南省垣長沙城，驅車南下，穿過湘潭、湘鄉兩座城市，走過近三個小時的國道和一個小時的縣級馬路後，迎面而來的是一片山清水秀的開闊地。此地名喚荷葉，歷史上隸屬湘鄉縣，而現在則歸雙峰縣管轄，乃晚清重臣曾國藩的老家。

荷葉地處雙峰、湘潭、衡山、衡陽四縣的交界，群山環抱，遠離都市，偏僻冷清。乍看起來，似乎有許多缺陷，若細細尋究，又會發現它確有許多好處。

此地山嶺雖多，但山上草木豐盛，尤多翠竹，高大的楠竹，纖細的油竹，遍山皆是，既給當地的鄉民以實惠，又讓居住的環境充滿詩意。其中巍然挺立的一座山峰叫作高嵋山，屬有名的南岳衡山山脉；至于衡山的主峰，離高嵋山也不過四五十里路遠。氣勢飛騰的南岳，祇不過將它壯麗的萬分之一贈給荷葉，也已經讓這塊方圓不過二三十里的小鄉村風光無限了。

此地雖無官馬大道，却并不閉塞。因爲與南岳靠近，夏秋兩季，便有成群結隊的香客，絡繹不絶地經過荷葉的田間山道，懷著無比的虔誠和各自的心願奔向祝融峰上的聖帝廟。十天半個月後，又恭揣著菩薩像前的香灰和對未來美好的憧憬返回家。香客們帶來各地的資訊，增加了山野鄉民的見聞，豐富了他們的日常生活。發源于南岳山脉的涓水從荷葉流過，河水清亮甘甜，將生命與靈氣注射這片古老的丘陵谷地，又用輕舟小船將做小買賣的商販送出百

里之外，在湘潭城外入湘江，然後換大船北下長沙，或過洞庭湖到漢口等大都市，各種京廣南貨稀罕物品也可以藉助涓水源源不斷地運進來，讓那些終年不出門的孤老村婦也能感受外部世界的精彩。

世代居住此地的鄉民絶大部分以務農爲業，地少人多，出産貧乏，故他們的生計大抵困難，個别稍爲殷實的家庭能讓子弟延師讀書，便可上升爲耕讀之家。耕讀之家是當地受人敬重的家庭，不僅僅因爲這種家庭今後可望有人得功名做大官，還因爲書卷本身便在質樸無文的鄉民心目中有著崇高的地位。距此不過三四十里地的衡陽縣曲蘭鄉石船山，就是明末清初大學問家王夫之晚年隱居著述之地。數百年來的文風，一直衣被石船山附近的農家子孫。

湘鄉縣雖談不上名縣大鎮，但它却爲湖南第一大府長沙府所轄，真可謂伴龍得雨、近虎生威，省城濃厚的政治、文化氣息對湘鄉縣的影響，無疑要超過不屬長沙府轄而其他狀況與湘鄉相去不遠的州縣。更何况當時爲湖南增彩添色的大吏如兩江總督陶澍、雲貴總督賀長齡、陝甘總督李星沅、詹事府少詹事胡達源、太常寺卿唐鑒等皆出于長沙府，再加之乾隆時代的名御史，敢于在和珅氣勢熏天的時候，拘其寵奴燒其座車的謝薌泉，便是從湘鄉走出的士子。一時風氣所尚，容易讓同爲一府縣的讀書人心動神往。

這一切，便是湘鄉荷葉的地理狀貌和人文環境。嘉慶十六年，曾國藩出生在這裏的一個耕讀之家，直到考上秀才進入省城岳麓書院深造，二十四年間，高嵋山脚的土地、涓水河的清流養大了他。船山的學説滋潤他的心靈，陶賀等人的功業則成了他一生追求事功的榜樣。

于是，他的這個原本平常的家鄉，便一直以極爲美好的印象長駐胸間，在日後的仕途險惡、宦海沉没中成爲他日夜思念的桃源樂土。他常常藉助經過幻覺美化了的故鄉山水，來寧静因權位利禄的欲求而煩惱焦躁的心境，安頓那顆被殺戮場所扭曲而支離破碎的靈魂。

京官時期的詩作中，常可見曾氏的這種心緒：『紅塵日夜深，游子思無已。倦鳥有時還，桑弧有時弛。我有山中廬，槿籬夾緑水。修竹倚大椿，重重互幡纚。發條播芳蕤，清陰亦何美！依戀會有因，庶往恭桑梓。』

他常常站在京城的高處，極目遠眺南天，欲藉此來安慰如飢似渴的思鄉之心：『爲報南來新雁到，故鄉消息在雲間。』『出户獨吟聊妄想，孤雲斷處是家鄉。』白日裏望不到桑梓，夢中却時常回到故園：『夢裏還鄉國，溝塗苦了了。朝企恒抵昏，夕思或達晚。』『忽夢歸去釣湘烟，洞庭八月水如天。』夢畢竟是夢，醒來時更覺惆悵。祖母去世的那一年冬天，他心裏格外思家，思念家中的親人，思念門前的清水屋後的青山。他鄭重其事地與父母諸弟商量，寧願捨去官職，也要回一趟闊别七年的老家，衹是因爲家中認爲他此舉近于荒唐，斷然拒絶，纔没有成。回不了家，他便藉詩文來抒發一腔鄉戀：『高嵋山下是儂家，歲歲年年門物華。老柏有情還憶我，夭桃無語自開花。幾回南國思紅豆，曾記西風浣碧紗。最是故園難忘處，待鸞亭畔路三叉。』

老家。他的兩句詩『戎馬書生少智略，全憑忠憤格蒼穹』，很好地說出了由精神層面的德轉化爲物質層面的才的辯證關係。

在才幹這個層面上，曾氏最看重的是識。識，可以算是創造性的才幹，進入了智慧的領域。這對于辦事，尤其是辦大事來說，是非常重要的能力。剛出任團練大臣，曾氏便向朝廷提出在省城建大團的設想。這大團其實就是軍隊的雛形，後來的湘軍就是在這個基礎上發展而來的。歷史證明，這個設想就是當時最大的見識，也是作爲團練大臣的最大才幹。

在識這點上，曾氏從別人那裏得益甚多。舉三個例子。一、在衡州辦湘軍水師，這是一個創造。水師爲湘軍集團的成功出力甚大。在大裁撤時期，長江水師被完整地保留下來，成爲朝廷的經制之師。此事，對維護湘系集團政治利益的機括甚微。辦湘軍水師一事，出自于江忠源的識。二、咸豐十年八月咸豐皇帝逃離北京前往承德避暑山莊，途中下旨調鮑超帶兵北上救駕。鮑超的霆軍是湘軍中的勁旅，是有人藉機把霆軍挖走。曾氏明知是陰謀，但因爲事關護駕大計，儘管十分不情願，却沒有理由拒絕。後來李鴻章出了一個拖延計，要曾氏一面按兵不動，一面請示朝廷從曾、胡二人中間調一人北上。就在這個請示過程中，北京城裏已和平處理了這樁大變故，用不著北上勤王了。曾氏既未失去霆軍，又維護了顏面。這個巧妙的設想源于李鴻章過人的見識。三、曾氏晚年對國家最大的貢獻，就是揭開洋務運動的序幕，臨死前一年與李鴻章聯名奏請派幼童出國留學一事，開啓中國官派留學生的先河。之所以有此貢獻，很大原因是因爲有容閎的遠見卓識。

在現實活動中，曾氏從別人的真知灼見中得到不少的智慧，所以，他始終把『識』排在才能領域中的第一位。

這裏要特別地來說一下什麽是德。曾氏曾有『君子八德』的說法，這八德爲：勤、儉、剛、明、忠、恕、謙、渾。剖析這八個字，我們發現這中間，有的屬于人們通常所說的道德品質方面的內容，如忠、恕、謙、渾，也有的則屬于性格習慣等方面的內容，如勤、儉、剛、明。確乎如此，古代人所說的德，正是包括著這兩個方面的內容。曾氏早年修身時所修的五德：誠、敬、靜、謹、恒，其中誠、敬可歸于道德品質方面，而靜、謹、恒則可歸之于性格習慣方面。如果單指道德品質方面，古時還有個詞：心術。修身，固然首在修煉心術，但心術的提升頗不容易，于是修身的更重要收穫是在性格習慣方面，這些方面得到改善之後，也便收到『德』提升的成效。

（二）從志趣上識人

志者志向，趣者趣味。志趣體現的是一個人的追求與品位。志趣的高低，是人與人之間區別的一個重要標志。曾氏說：『凡人高下，視其志趣。卑者安流俗庸俗之規而日趨污下，高者慕往哲隆盛之軌而日就高明。賢否智愚，所由區矣。』

曾氏認爲，事業的大小，與主事者志趣的高低密切相連。志趣低下庸俗的人，是不可能

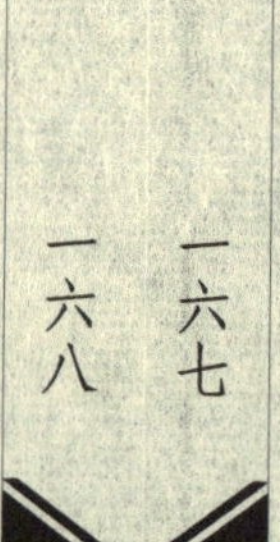

做出絶大事業來的。在他的心目中，羅澤南是士人中志趣高蹈者的代表。他在《羅忠節公神道碑銘》中説，羅家赤貧，有次參加考試後，步行半夜回家，但家人無米煮飯給他吃。十年之間，接連喪失至親十一人，妻子因連喪三子而把眼睛哭瞎。但即便處于這等困境，『公益自刻厲，不憂門庭多故，而憂所學不能拔俗而入聖；不恥生事之艱，而恥無術以濟天下』。羅的志趣在拔俗入聖、經濟天下。正是因爲追求與品位如此之高，纔會有後來的『湘軍之母』。

曾氏對那些私心太重、官氣太重、嗜欲太重、好説大話、好出風頭者很不喜歡。他曾對官氣作過這樣尖刻的批評：『官氣多者，好講資格，好問樣子，辦事無驚世駭俗之相，語言無此防彼礙之弊，其失也奄奄無氣。凡遇一事，但憑書辦、家人之口説出，憑文書寫出，不能身到心到口到眼到，尤不能苦下身段去事上體察一番。』他對好説大話者很討厭：『近來書生侈口談兵，動輒克城若干，拓地若干，此大言也。又好攻人之短，輕詆古賢，苛責時彦，此大言也。好談兵事者，其閱歷必淺；好攻人之短者，其自修必疏。』鑒于這些方面，他向部屬傳授識人的一個重要原則：有操守而無官氣，多條理而少大言。

（三）從小事上識人

小與大，有著明顯的差别；小與大，也有著密切的關聯。老子説：千里之行始于足下，九層之臺始于壘土，合抱之木起于毫末。成語説見微知著，一葉知秋。俗諺則説滴水成河，粒米成籮。説的都是小與大之間的緊密關聯。歷來有閱歷有智慧的人，都善于從小中識大，以小節來看大節。

作爲儒家信徒，曾氏篤信朱熹『絶大學問皆在家庭日用之間』的名言，他常用這句話來教誡他的後人，讓他們從家庭日用間起步，從小事做起，一步步地成長，以後纔好做絶大學問，擔當絶大重任。比如他教育兒子：誠，從不説假話做起。勤，從不睡懶覺做起。不恃特權，從不坐轎做起，從不呵斥僕人做起。戒除驕傲，從不取笑别人做起等等。

正是基于這種認識，曾氏習慣于也善于從小處來識别人。

綠營低級軍官楊載福，是他賞識的人。他看重的是楊身爲軍官，但每次訓練部卒，不論冬夏，都短衣草鞋，身先士卒。他給朝廷的薦舉奏摺便是從這個小事上提起。楊載福後來成爲湘軍水師統領，并以武員改授陝甘總督文職，這在那個時代號爲异數。書生出身的李續賓後來成爲湘軍名將，他也是曾氏所重用的高級將領。曾氏看重他没有當時許多文人好説大話的毛病，平日多沉默寡言。李死後，曾氏爲之撰文，特意指出這一點：李于大庭廣座之中含宏淵默，終日不發一言。從太平軍中投誠過來的陳國瑞，曾國藩也重用他。曾氏在陳的批文中説，陳有許多缺點，但在聽忠臣義士、孝子節婦的故事時則表情嚴肅，聚精會神，他于此知陳良知厚實，具名將之資。

他的親外甥投奔軍營，曾氏本擬留在營中，但外甥在軍營以少爺自居目中無人，出身清貧却不知儉樸。在軍營裏吃飯，每每將穀粒整個扔掉，曾氏雖多次告訴外甥要去掉穀殼嚼爛

代中國最有權力最具影響的漢人。而就是這個李鴻章，無論在何時何地，衹要説起曾氏來，便開口閉口『我老師』『我老師』的畢恭畢敬，并在將天下人物一掃而空的同時，聲稱『衹有我老師纔是第一等大人物』。曾氏身後的聲望，在一段相當長的時期名冠海内，無疑與這個天下第一漢人的竭力揄揚不可分。

曾氏對替手的高度重視，贏來了歷史給予他的巨額回報。

六、人才不斷的訣竅在于培育

曾氏身邊的人才層出不窮，除了他的慧眼識拔外，更多的是他蓄意培植的結果。他説：『人才靠培養而出，器識靠歷練而成。』曾氏培養人才有哪些辦法？

（一）提供平臺

曾氏説：『樹人之道有二：一曰知人善任，二曰陶熔造就。』

爲人才搭建平臺，讓他們有鍛煉、提高自己的好機會，這應該是人才成長的一個最主要途徑。長時期的戰爭爲軍事人才的大量涌出，提供了絶好的機遇。曾氏爲這些軍事人才，搭建各個層級的衆多平臺。令人感念的，是他大膽提拔人才的那種懇誠的態度。他爲塔齊布、諸殿元的提拔上疏朝廷，奏摺中提出了這等莊重的承諾：『日後二人若有臨陣逃脱之事，請將微臣一并治罪。』他爲了要朝廷同意胡林翼留在湖南，加盟湘軍集團，他説出這樣令胡氏終生感動的話：『胡林翼之才勝臣十倍。』在這樣的上司面前，能有不盡心盡力的下屬嗎？

（二）讀書學習

曾氏常説，鄉親父老將子弟送到軍營，軍營各級頭領就要負起培養他們的責任來，讓他們立功升官發財固然很重要，但不是第一位的，第一位是教他們做一個好人。湘軍組建之初，每逢三、八，曾氏都要親自給勇丁訓話，講忠義，講血性，講團結友愛，講軍風。曾氏啓用書生領兵，其中一個重要目的，是要書生將他們的追求與價值觀灌輸到軍營中去。事實上，許多書生出身的統領、營官也正是這樣做的。胡林翼的軍隊每到一處，都要請當地的宿儒給將士們講《論語》《孟子》，他則以翰林之身坐在前排恭聽。王鑫的部隊更是絶妙。每到夜晚，軍營外的木栅門便緊閉，所有將士都必須在帳篷内點燈讀書。誦書聲與刁斗聲相混雜，是王鑫軍營裏的一大奇怪的現象。這正是曾氏所期盼的湘軍軍營中應該『有師弟督課之風，有父兄期望之意』。

（三）宏奬鼓勵

促使人長進，通常有兩種辦法：一爲鞭策即揮鞭策使，這是一種棍棒式的剛性驅動；一爲激勵即激揚勉勵，這是一種引導式的柔性驅動。兩者都自有其合理的因素，都可以收到好的效果。作爲有生殺之權的軍事統帥，曾氏對人才的驅動，并不是人們想象中的硬性鞭策，他更喜歡柔性的激勵。他説：『余所見將才，杰出者極少，但有志氣，即可予以美名而奬成之。』他稱這種方式爲宏奬——出格的詩奬，并視爲人生的一件快樂事情。他説君子有三樂：

戰兵、守兵等兵種。若騎兵有缺，則從步戰兵中選拔予以補缺；步戰兵有缺，則從守兵中選拔予以補缺。這就是拔補制度。守兵之缺，按理應從民間拔補，但軍營中還有一種被稱作餘丁者，他們取代了民間百姓。什麼是餘丁？餘丁是軍營中那些未成年的兵丁子弟。軍營將節省下來的伙食費，供養幾個家中生計困難的兵丁子弟。這些子弟入營後，參加訓練，遇有出征，則充當運輸兵。對于兵事，他們自然比從未與聞軍旅者要强得多。守兵一旦有缺，當然會先從餘丁中挑選。餘丁多于缺額，所以無須再從民間選擇。這樣，綠營兵丁也便逐漸成爲家族職業。史學家把八旗、綠營的這種兵制稱之爲世兵制。若有戰事，綠營出陣的隊伍皆臨時組成，兵由四處抽調，將官臨時委派。成軍之後，兵不知將，將不知兵，打起仗來，勝則爭功，敗不相救。所以，太平軍每與綠營交鋒，綠營均以潰散爲結局。

鑒于綠營的弊病，湘軍的將領與兵丁則全部由招募而來。湘軍成軍的原則是：營官由統領挑選，哨弁由營官挑選，什長由哨弁挑選，勇丁由什長挑選。湘軍這種成軍形式，使得軍營諸將一心、萬衆一氣，戰鬥力很强。湘軍最後戰勝太平軍，這種營制起了很大作用。這種營制，史學家稱之爲募兵制。

同治元年，李鴻章遵照其師曾國藩的指示，完全按照湘軍的模式組建了淮軍。同治三年六月，湘軍與淮軍聯合共同撲滅了太平天國。同治六年十一月，左宗棠與李鴻章携手撲滅東捻。次年，西捻在山東全軍覆滅。晚清持續多年的內戰，終于平定，湘軍與淮軍無疑爲維持清朝

廷立下了汗馬功勞。因爲此，湘軍的營制得到認可。湘軍大將劉長佑在直隸總督任上改造綠營，依湘軍營制，從制兵內挑選兵勇，重新編練成軍，稱之爲練軍。此種做法以後被各省相繼仿行，以練軍駐防通都重鎮，故而又稱防軍。以後張之洞的自强軍，袁世凱的北洋軍，都是以招募成軍的。綠營連同它的世兵制就這樣退出了歷史舞臺。

綠營的世兵制當然弊端重重，它的被淘汰是必然的，但對于朝廷來説，它有一個最主要的好處：那就是兵權在中央，當兵的人都知道自己是朝廷的兵。募兵制雖有較好的組織形式和較强的戰鬥力，但它的關係本質上變成了私人依附，兵成了將領的兵，不再是朝廷的工具。湘軍軍營的最大特點是將在營在，將亡營散。李鴻章説他的北洋水師與日本打仗，是以一人敵一國。袁世凱的兵祇知有袁宫保，不知有大清朝。這些便是晚清軍隊性質最生動的説明。

兵制的改變，毫無疑問鬆動了清王朝的國本。

二、滿漢共治的天平出現新的傾斜，改變了晚清的政治格局

滿人入關後，懷著對漢人深深的恐懼和戒備，强力實行抬滿抑漢、重滿輕漢的治國總方針。中央六部的堂官設複式架構，便是這個總方針的重要舉措。兩個尚書，四個侍郎，其中的一半規定祇有滿人纔能充當。兩個尚書中最後拍板的是滿尚書。在地方上，各省總督巡撫，也是滿人居多。朝廷還在各重要城市設立滿營，委派滿將軍。這些滿將軍不但代朝廷鎮守要塞，也充當朝廷監督地方的耳目。即便是綠營，其高級將領也多半由滿人擔任。無奈滿人進

關後，被財富和權力，被花花世界所腐蝕，越到後來，越人才匱乏，到了太平天國揭竿起義時，整個滿人世界簡直無人可以對付太平軍，最後不得不轉而全心依靠漢人。曾氏九年客寄虛懸，沒有地方實權，其深處的原因就在這裏。

漢人壓抑既久，則積蓄深厚，一旦找到一個可以施展才幹的機會，便以排山倒海的氣勢爆發出來，尤其是在軍事領域裏大顯身手。成千上萬的漢人才俊投身軍營，在沙場充分展示自己的人生價值。這些漢人由帶兵起家，憑戰功躋身軍界高層，不少書生出身的高級將領更占據政界要津。漸漸地，由滿人控制的軍政兩界便發生很大的變化，漢人的崛起已成不可抵擋之勢，天平明顯地倒向了漢人這邊。有人作過統計，同光年間，出身湘軍系統做過總督、巡撫的官員有五十三人，做過藩臬道員一級官員的有七十人，做過提督總兵的一百三十四人，出身淮軍系統的督撫有十四人，藩臬道員有二十七人，提督總兵有八十七人。湘淮兩系文武高官共三百八十五人。滿人的政府實際上已悄悄地轉移到漢人的手裏。

三、地方政權的多元走向一元，改變了晚清的權力格局

爲了牽制地方官員，以便中央高度集權，滿人在各省實行多元制的領導體制。總督、巡撫、布政使、按察使之間誰也不能直接指揮誰，全都聽命于中央。巡撫與布政使更同爲從二品，二人相見行的是平等禮。

到了與太平軍交戰的年代，這一行之兩百來年的制度就開始發生變化。戰爭年代，需要

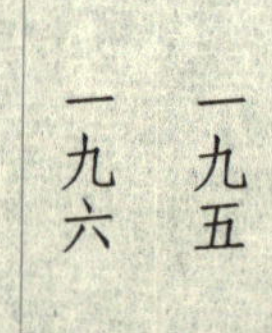

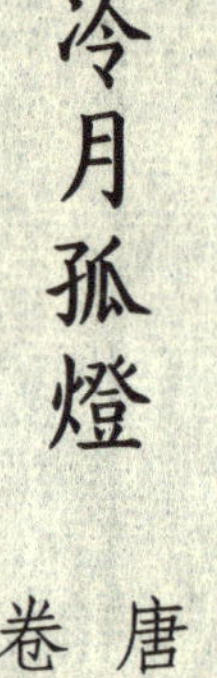

權力集中，再加之不少巡撫係由軍功起家，他們擁有軍隊這個最大的實力，他們不能容忍藩臬兩司自專其權，不聽號令，那些在這種强勢督撫身邊做藩臬的人，自然也識相，不敢與他們爭權分權。朝廷若遇到督撫與藩臬有矛盾，通常也還就握有軍權的督撫。漸漸地，多元變成一元，督撫專權便成爲晚清政壇的事實，滿人朝廷所設計的地方上四大或三大衙門互相牽制的權力布局便在無形中消失。王闓運在《湘軍志》中說：『其後湘軍日强，巡撫亦日發舒，體日益尊，至庭見提鎮，易置兩司，兵餉皆自專。』這正是當時的普遍現象。到了後來，朝廷一兵一卒，一糧一餉，都祇能仰求督撫。就連跋扈專横的慈禧晚年想廢掉光緒再立新主，因遭到由軍功起家的湘軍將領兩江總督劉坤一的反對，也祇得中止。

一個督撫專權，一個外重内輕，清王朝的權力格局發生了很大的變化，其結果是一個個的獨立王國形成。正如康有爲所說，光緒末年十八行省好比十八個小國家。

四、大批『海歸』出現，改變了晚清的人才格局

鴉片戰爭之前，中國是閉關鎖國，所有的人才，幾乎都是四書五經培養出的，清朝廷以及它的各級政府中所用的人才，自然也都是從府試、鄉試、會試中走出來的。直到一八六三年九月的一天，曾國藩在安慶兩江總督衙門會見美籍華人容閎，這種鐵板一塊的人才局面開始出現裂縫。容閎是廣東香山人，七歲時隨父親到澳門上英國傳教士所開辦的學校，十八歲時隨美籍教師到美國，後畢業于耶魯大學，成爲有史以來第一個在美國獲得學位的中國人，畢業

鬪後，滿人的統治能力，在世界所向無敵，幾乎日漸衰退。……到了太平天國

時期，滿人出來竟無人可以對付太平軍，最後不得不轉而全心依靠漢人，曾國藩才

從有地方實權。其深層的原因就在這裏。

讓漢人掌握兵權，……一個可以施展才華的機會，使得……發展出來。尤其是在軍事方面，漢人大顯身手，成千上萬的漢人才俊投身軍營，在沙……自己的人生價值。這些漢人由帶兵起家，逐漸發展到獨當一面，不少書生出身的……占據政界要津，……

……出身滿洲貴族的高官，有十四人，……有二十七人，……竟高達三百八十七人，……

（三）地方政權的漢化

……布政使、按察使之間，……全部都由中央任命，……二人，相見……

到了與太平軍交戰的年代，這一行之兩百來年的制度就開始變化，……

今月摘燈　卷一　晚清……　一九六

權力集中，再加之不少滿族權貴在軍功派家族，他們擁有軍隊這個最大的實力，他們……

[illegible]

……年九月的一天，曾國藩在安慶接見了容閎，……

……出現發達。容閎是廣東香山人，七歲時隨父親到澳門上英國傳教士所辦的學校。十八歲時隨美籍教師到美國，後畢業于耶魯大學，他是有史以來第一個在美國獲得學位的中

後回國。經幕僚介紹，曾國藩會見了這位時年三十五歲、學貫中西的愛國者。說容閎是愛國者，是因爲此人一門心思想讓中國與歐美接軌，想把西方的科學與技術引進中國。由于這次會見，容閎後來成爲連接中美的重要人物。在這方面他一生做了許多重要的事情。他向曾氏建議購買美國機器，利用這批機器在中國建新式工廠。此事後來成爲現實，江南機器製造局遂因此而建。該局中設有翻譯處，大量翻譯西方科技書籍，又引進科爾、史蒂文生、傅蘭雅等洋匠、學者，傳授西方技術，培養翻譯人才。他後來又向曾國藩、李鴻章建議，送幼童出國留學。此事後來也成爲現實。從曾氏死後第二年開始，中國陸續派了四批一百二十名幼童去美國留學。從此打開中國向外國留學的大門。晚清大批人才留學西洋、東洋，這些人中絕大多數後來都回了國，中國的人才格局也慢慢地有了改變。尤其是一些懷抱著改變中國政治的留洋者如孫中山、黃興、蔡鍔、唐紹儀等人，更成了革命派的領袖和骨幹。

因爲軍事、政治、權力、人才四大格局的改變，晚清的社會發生了全方位的大變化，建立在原有基礎上的清朝廷這座大廈，因爲基礎的動搖，它已處于危房狀態，這時祇要稍有風吹草動，都有可能將它掀翻。辛亥革命的成功，便是因爲它有這樣的時代背景。著名歷史學家羅爾綱在《湘軍兵志》一書中說：『武昌起義，各省紛紛宣告獨立，清皇朝中央無權，遂移清祚。當年曾經挽救過清皇朝國運的湘軍書生，而今還是由他們手造的晚清督撫專政局面，把清皇朝斷送了。』

湘軍書生的領袖是曾國藩，所以曾國藩應是爲清朝廷掘墓揮動第一鋤的人。曾國藩本是一個全心全意保護朝廷的大清忠臣，然而偏偏就是這個忠臣成了埋葬清朝廷的掘墓人。歷史在這裏給曾氏開了一個大大的玩笑，而它的沉重性更在于這個掘墓者和他身邊的智囊團，都已清醒地看到了時局發展的趨勢，甚至準確地預測了它的結局。這些，令他們既沮喪莫名而又無可奈何！

曾氏的機要秘書趙烈文在他的日記中，多次記録了他們就這種話題的私室閑談，其中以同治六年六月二十日的談話最爲透徹。曾氏對趙說，北京狀況很糟，民窮財盡，秩序混亂，說不定會出大亂子。趙說，以他看來不出五十年將有大變故出現，那時候中央政權垮臺，各省獨自爲政。曾氏聽著這話後眉頭緊鎖，很久，問趙，中央政權有南遷的可能嗎？趙很肯定地說，到那時就是全部顛覆，不可能出現東晉和南宋那樣的局面。曾氏聽完這句話後說：我一天到晚就盼望自己早日死掉，免得看到那一天的到來，你們不要以爲我是在說著好玩的。

這段話真正是近代史料中一段難得一見的文字。它讓人第一感覺是，曾氏怎麼會和他的部下公開議論朝廷垮臺的事，而且他明白地贊同部下冒天下之大不韙的分析與猜測。再則，它也令後世讀者驚嘆，趙烈文居然會預測得那樣的精準：四十四年後清政權崩潰，而後是長時間的軍閥割據與內戰不息。趙烈文豈不是神仙？同時，這段話也讓我們感覺到，曾氏其實在心裏也看到了這一點，祇是出于他的身份和謹慎，不能親口說出而已！

從保皇起步，以掘墓收攤，歷史對曾國藩怎麽會如此吊詭？個中的原因，趙烈文幫他作了分析。原來，這十多年來，曾氏與太平軍作戰，所費祇是十之三四，而與世俗文法所戰竟然花費了十之六七。什麽是世俗文法？世俗是指包括官場、軍隊在内的社會，文法是指過時的陳腐規章制度，也就是説曾氏用了百分之六七十的精力在與整個社會和這個社會的綱紀、秩序挑戰。故而對于朝廷來説，他的成功是短暫的，他的顛覆是本質性的。曾氏實際上處于一個兩難的尷尬境地：成也不是，敗也不是。這便是曾國藩的悲劇所在。不過，他的悲劇却在歷史上留下深遠的啓示，能給好學深思的後來人以多方面的藉鑒。

曾國藩與左宗棠

近百年來中國人尤其是湖南人，習慣將活躍在十九世紀後半葉的風雲人物曾國藩、左宗棠并列稱呼，簡稱曾左，如毛澤東青年時期就常常在文字中將曾左并列：『曾左，吾之先民；黄蔡，邦之模範。』（《湖南改造促成會復曾毅書》）『宋韓範并稱，清曾左并稱』（《講堂録》）。曾國藩、左宗棠的確有許多值得并列説一説之處，他們猶如晚清軍壇政界上耀眼的雙子星座，在那個混亂衰敗的時代裏令無數人仰望崇敬。他們曾經是一對親密的戰友，但後來却又老死不相往來。他們的友誼與破裂，是百年來曾左話題中最令人感興趣的内容。

一、曾左友誼

曾國藩，湖南湘鄉人，清嘉慶十六年（西元一八一一）出生。左宗棠，湖南湘陰人，嘉慶十七年（西元一八一二）出生。曾左二人的接觸，最晚也應該在道光十五年的北京會試期間。在此之前，曾忙于在湘鄉應付秀才與舉人的考試。經過七次秀才試，在二十三歲那年曾國藩考中秀才，第二年道光十四年中舉。左則是在二十一歲那年即以納資的方式成爲監生直接參加舉人考試，并一舉而中。第二年，即道光十三年，左進京會試告罷。道光十五年，左再次進京參加會試。此時，曾也以甲午科舉人的身份進京會試。同爲湖南舉子，應該有見面的機會。三年後，兩人又同時參加戊戌科會試。這一次，曾高中進士點翰林，左第三次告罷。按常理，

也會有見面的機會。但見没見面，現今已找不到文字根據，不過彼此都會知道對方，這一點應該是毫無疑義的。從那以後，一個在朝廷一路順利地做官，一個在湖南做普普通通的教書匠，未見兩人有什麽交道。

兩人之間的密切交往，應該是在咸豐二年底的長沙。此時曾奉命出任湖南團練大臣，左則是在這年八月，太平軍圍攻長沙最危急的時候『縋城而入』。二人辦的都是對付太平軍的事，自然交往密切。曾氏咸豐三年正月給胡林翼的信説：『日與張石卿中丞、江岷樵、左季高三君子感慨深談，思欲負山馳河，拯吾鄉枯瘠于萬一。』蓋當時實情也。那時，就分工來説，曾在一綫練兵打仗，左在二綫籌款籌糧，二人配合默契。

咸豐四年四月，曾氏親領八百陸勇、四十條戰船到長沙城外靖港與太平軍交戰，不到一頓飯的工夫，水陸俱敗，曾氏率殘兵敗將逃到長沙，停舟橘子洲畔。曾氏心情沮喪，對自己的無能很是羞愧。他在船上給朝廷寫完遺摺，趁半夜無人，跳進湘江自殺，幸而被貼身衛士救起。第二天一早，左宗棠聞訊，即悄悄出城來到江邊曾氏的船上。見曾氏氣息微弱，身上穿的單薄短衣上還留著泥沙痕迹。左安慰曾，説事情尚可爲，剛起兵就自殺，不合道義。曾氏睁大眼睛不做聲，衹是在紙上書寫火藥、軍械的庫存數，請左代爲檢點。當長沙滿城都在看曾氏兵敗的笑話時，左宗棠能來船上看望，并鼓勵他繼續幹下去。左的高情厚誼無疑給曾以温暖。

然則二人相處，也有一些不愉快的事。世傳曾左之間的芥蒂最先緣于募捐。因軍餉緊絀，

湘軍創建初期，强迫大户人家出錢資助。原兩江總督陶澍號稱三湘名宦，陶家自然首當其衝。據傳湘軍曾以粗暴手段威逼陶澍之子陶桄，而陶桄乃左的女婿。此事一定令左不快。多年之後，曾在與心腹幕僚趙烈文聊天時，證實了這件事：『起義之初，群疑衆謗。左季高以我勸陶少雲家捐資緩頰未允，以致仇隙。』不過，這件事對曾左之間的關係似乎影響還不算大。初期曾左之間最明顯的一次不愉快，發生在咸豐七年二月，曾回籍守父喪一事上。

咸豐七年二月初四日，曾氏之父病逝于湘鄉老家。十一日，曾氏得到訃告。他立即向朝廷奏報此事，不待朝廷批准便擅自回家。曾氏此舉引來不少詰難與指責。歐陽兆熊説：『咸豐七年（曾國藩）在江西軍中丁外艱。聞訃，奏報後即奔喪回籍，朝議頗不爲然。左恪靖在駱文忠幕中，肆口詆毁，一時嘩然和之。文正亦内疚于心，得不眠之症。先是，文正與胡文忠書，言及恪靖遇事掣肘，傪口謾罵，有效王小二過年，永不説話之語。』從這年三月六日左給曾的信中，我們可以看到左對曾是如何肆口詆毁的。左一開頭便指責曾不待朝廷批准擅自回家奔喪是不對的。因爲此時曾的身份是軍事統領，做的是『金革之事』，與五年前的鄉試主考的身份大不相同。接著又批判曾對自己在江西『過多功寡』的辯護，義正辭嚴地指責曾：『忠臣之于君也，不以事不可爲而奉身以退。』再接下來，又奚落曾：你再出不出山，我不知道，你出山後有用無用，我也不知道。我衹知道，你不等朝廷的批復就回家，這一點就做得不對。

曾心裏本有著大痛苦（仗未打好）大委屈（朝廷不給地方實權，無法籌糧籌餉），而左

不知安慰，還這樣以大道理來壓他責備他。曾如何不惱怒不傷心！他拒絕回信。不過，曾守父喪這段時期，也是曾的思想經歷大轉變的時期。他接受朋友的勸告，認真研究老子與莊子。從《道德經》《南華經》裏悟出了順其自然、以柔克剛的大道理。通過一年多的反思與檢討，曾終于完成了學理修持上的從法家到道家的轉變。他一改過去剛烈過分、急于求成的心態，向圓融、變通一路轉化。咸豐八年六月，曾再次奉命出山，剛一到長沙，便去拜訪左，并自集『敬勝怠，義勝欲；知其雄，守其雌』十二字聯，請左代爲書寫。左也很高興地答應。曾左交歡如初。

兩年後，曾與左有一段生死之交，事情起于著名的樊案。

時任湖南巡撫的駱秉章在他的自訂年譜中是這樣叙述樊案的：永州鎮總兵樊燮聲名惡劣，同在永州的文武官員及屬下兵士都對他有怨言。駱在咸豐八年進京陛見時參劾樊的劣迹。朝廷將樊交部嚴議，即行開缺。接下來，駱又參樊貪污公款的罪行。朝廷下旨，將樊捉拿，交駱嚴審究辦。樊不服，向湖廣總督及都察院告狀，聲稱是永州知府勾通左宗棠的陷害。朝廷于是命湖廣總督官文、湖北正考官錢寶青審辦。事情牽連到左宗棠，他因此事于咸豐十年正月離開湖南巡撫衙門，北上參加會試。

有野史記載，左因討厭樊的人品，對樊極不禮貌，公然罵樊『王八蛋』，叫他『滾出去』。左不過一師爺而已，竟敢如此對待身爲二品大員的樊總兵。這令朝廷很憤怒，故而咸豐在樊的告狀摺上親批：湖南巡撫爲劣幕把持，若查明屬實，將左宗棠就地正法。如此，這件事對

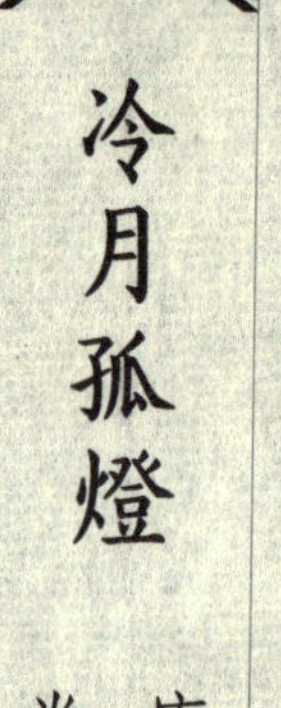

左來說便很嚴重。皇帝將朝廷制度看得更重，且不管這場官司是駱有理還是樊有理，衹要坐實左是這樣罵了樊，左就會被殺頭。所以，左宗棠不得不出逃。

當左走到襄陽時，被胡林翼的信止步了，轉而來到曾國藩的安徽宿松軍營。曾聞訊，派專人去英山迎接。咸豐十年閏三月二十六日，左來到宿松。曾氏當天日記說：『未正，左季高、李次青二公到，暢談至二更盡。』可見，曾對左之到來，所取的態度一是重視，一是熱情，一點也沒有顧忌到左當時是惹皇帝生氣而要嚴辦的身份。

就在這段期間，胡林翼、郭嵩燾、王闓運等人在極力營救左。他們不但自己出面，還疏通肅順、潘祖蔭等朝廷中強有力的人物從中斡旋。據説潘祖蔭的那道著名的保摺，就是郭嵩燾用重金換來的，其中『國家不可一日無湖南，湖南不可一日無左宗棠』這兩句話，已成爲傳誦久遠的近代文人佳句。此時曾氏也以湘軍统帥的身份上了一道保摺，稱贊左『剛明耐苦，曉暢兵機。當此需才孔亟之際，或飭令辦理湖南團防，或簡用藩臬等官，予以地方，俾得安心任事，必能感激圖報，有裨時局』。以當時曾氏被朝廷倚爲長城之身份，這份摺子的分量自然非比一般。

左宗棠在曾氏軍營住了二十三天，從曾氏日記中可知，他們幾乎每天在一起暢談。談什麽？《曾國藩年譜》中說：『昕夕縱談東南大局，謀所以補救之法。』原來，此時東南戰場正處在一個關鍵時期，一個因軍事大變故導致的政治大變動正在醖釀之中。

咸豐十年三月下旬，太平軍一舉踏平江南大營，乘軍威全力南下，將蘇南丹陽、常州、無錫、蘇州、江陰、昆山全部收入囊中，江南大營主將和春、張國樑死在逃亡途中，兩江總督何桂清弃城逃命，江蘇巡撫徐有壬城破自殺。清朝廷在江南的整體部署被完全打碎，在四顧無人的狀態下，衹得調整多年來所實行的對待以曾氏爲首的湘軍集團又用又疑的政策，轉而更多地信任與依賴。左宗棠恰好在這時客居曾營，他在對曾氏分析時局時預見：江南大營破了是好事，膿包穿破後，轉機反倒會很快到來。這是天意，天意不可違。果然，左宗棠離開軍營十天後，曾氏收到湖廣總督官文寄來的咨文，得知朝廷已任命他以兵部尚書銜署理兩江總督。很快，曾氏又收到朝廷令左宗棠以四品京堂候補，隨同曾國藩襄辦軍務的上諭。

左宗棠隨即在長沙招募五千人，號爲楚軍，開赴安徽，投身以曾氏爲主帥的東南戰場的最前綫。左的軍事長才由此得到充分的施展，從那以後戰果纍纍，威震天下。

一旦擺脱客寄虚懸的尷尬局面，曾國藩也便從困境中出來，開始走向坦途。一年後，咸豐去世，慈禧上臺，加大了對曾氏及湘軍集團的倚重，提升曾氏爲協辦大學士，節制兩江及浙江四省，凡蘇、皖、贛、浙四省包括巡撫、提鎮在内的所有文武官員一律由曾氏節制。曾氏的權力達到一生的頂峰，曾左的合作也達到一生中的最爲親密的階段。曾氏保奏在浙江打仗的左宗棠有『獨當一面』之才，可以獨任浙江軍事。咸豐十一年十二月，五十歲的左宗棠出任浙江巡撫。

從咸豐九年底的布衣出逃，到咸豐十一年底官拜巡撫，短短兩年間，左宗棠經歷過一場少見的人生巨變。這場巨變發生在左的身上，折射出官場的迷離與吊詭，當然，也見證了曾氏對左的情誼以及左的超凡絶倫的才幹。一年零四個月後，左升任閩浙總督。長久壓抑的左宗棠，到運氣來了的時候，其青雲直上的速度，也令世人驚嘆不已。

曾左携手合作，東南的軍事進展順利。同治三年六月十六日，南京被曾氏親弟國荃統率的吉字營攻克，他們所共同盼望的這一天終于來到了。令所有人都不曾預料到的是，隨著這個大勝利的到來，曾左之間的友誼頃刻間便從頂峰跌到谷底。

二、曾左破裂

南京打下後，曾氏兄弟向朝廷報捷，説幼主積薪自焚，逃出去的六七百人，也被追兵在湖熟鎮全數斬刈，未留一人。但是幼天王洪天貴福其實并没有自殺，而是在一支人馬的保護下從太平門缺口中衝出去了。七月初六日，左宗棠將此一發現奏報朝廷：『昨接孝豐守軍飛報，據金陵逃出難民供，僞幼主洪福瑱于六月二十一日由東壩逃至廣德，二十六日堵逆黄文金迎其入湖州府城。』

左的這一奏報，無异于是在説曾氏欺君，罪名不小。在没有確鑿事實面前，曾氏自然不能接受。七月二十九日，曾氏就此事向朝廷作答：一是逃出去的人馬不會很多，頂多不過數百人。二是『賊情詭譎，或洪福瑱實已身死，而黄文金僞稱尚存，亦古來敗賊常有之事』。

咸豐十年三月下旬，太平軍一舉擊潰江南大營，乘勝東下，[illegible]常州、無錫、蘇州、江陰，是由全部收入囊中。江南大營主將和春、張國樑死在逃亡途中，兩江總督何桂清棄城逃命，江蘇巡撫徐有壬城破自殺。清廷在江南的整個部署被完全打亂，在四顧無人的狀況下，[illegible]多年來所實行的對待以曾氏為首的湘軍集團又用又疑的政策，轉而更多地信任與依賴。[illegible]恰好在這時，[illegible]他在對曾氏分析時局時指出：江南大營被破了是好事。[illegible]，這是天意，天意不可違。果然，左宗棠離開曾營十天後，曾氏收到湖廣總督官文的咨文，得知朝廷已任命他以兵部尚書銜署理兩江總督。[illegible]，曾氏又收到朝廷命左宗棠以四品京堂候補，隨同曾國藩襄辦軍務的上諭。

左宗棠隨即在長沙招募五千人，號稱楚軍，開赴安徽，投身以曾氏為主帥的東南戰場的最前線。

左的軍事才能由此得到充分的施展，從此以後戰果累累，威震天下。一日[illegible]，曾國藩也更從困境中走出來，開始走向[illegible]。一年後，咸豐去世，慈禧上臺，加大了對曾氏及湘軍集團的倚重，擢升曾氏為協辦大學士，節制[illegible]浙江四省，[illegible]四省巡撫提鎮以內所有文武官員一律由曾氏節制。曾氏的權力達到一生中的頂峰。曾左的合作也達到[illegible]時段。曾氏保奏在浙江打仗的左宗棠有獨當一面之大才，可以勝任浙江巡撫。咸豐十一年十二月，五十歲的左宗棠出任浙江巡撫。

[illegible]

少見的人生巨變。這場巨變發生在左宗棠身上。[illegible]

[illegible]一年零四個月後，左升任閩浙總督[illegible]

宗棠，到運氣來了的時候，其青雲直上的速度，也令世人驚嘆不已。

曾左聯手合作，東南的軍事進展順利。同治三年六月十六日，南京被[illegible]攻克[illegible]他們共同盼望的這一天終於來到了。令所有人都不曾預料到的是，[illegible]

曾左之間的[illegible]

二、曾左破裂

南京打下後，曾氏兄弟向朝廷報捷，說幼主積薪自焚，逃出去的六七百人也在湖熟鎮全數斬殺，未留一人。但是幼天王並沒有自焚，而是在一支人馬的保護下從太平門缺口中衝出去了。[illegible]

其人湖州府城。

[illegible]

能接受。七月二十九日，曾氏[illegible]作答：一是逃出去的人絕不會很多，[illegible]多不過數百人；三是一般清議，或洪福瑱真已身死，而黃文金等尚有存者，亦古來收復城池常有之事。

三是杭州克復時逃出太平軍十萬之衆，并未遭到糾參，故請朝廷不要參辦曾國荃。

曾國藩的不承認，尤其是反過來指責左，這令左很惱火。九月初六日，左宗棠上奏，聲稱杭州逃出十萬之衆之説毫無根據。并説南京與杭州兩城不能并列：南京早已合圍，杭州并未合圍；城破後，南京捷報上稱誅殺净盡，杭州捷報上説明首領已逃出。左嚴辭辯白：杭州一事，即使有人要參劾，也找不到參劾的理由。接下來，左對曾的這種態度嚴厲指責：『因意見之弊遂發爲欺誣之詞，似有未可。』一個多月後，洪天貴福在江西被抓。事實證明，洪天貴福『積薪自焚』一説是錯誤的。

曾左之間的這場争論，導致的結果是兩人從此失和，直到同治十一年曾氏去世，八年之間互相不通音訊，私交完全斷絶。這樣兩個在當時聲望極大、地位極高的湘軍首領的絶交，自然會引起廣泛的關注與議論，也爲曾左共同的朋友們深爲惋惜，不少人試圖從中勸和。王闓運在存世的《湘綺樓日記》中多次提到他勸曾氏與左復和的事。曾氏對此雖不反感，甚至在左與郭嵩燾的交惡中還替左説話，但他畢竟没有主動邁開和好的步伐，這真是令歷史遺憾的事情。

事過一百多年了，我們重提這段往事，平心而論，曾負左占十之三四，左負曾占十之六七。

在江西期間，曾作爲統帥在前綫作戰，左作爲後勤統領在湖南籌餉，左爲曾籌餉高達二百九十萬兩。湖南是一個窮困的省份，能擠出如許多銀子確不容易，所以後來王闓運在光緒年間寫作《湘軍志》時爲之感嘆：左生對江西貢獻很大。但曾的仗没有打好，在江西可謂屢戰屢敗，水師遭人腰斬，老營經常被人包圍，又與江西官場鬧不團結，很窩囊。曾氏本人也認爲自己很無能，是個通國不能容的人。父親死後，他不顧身負重責，不待朝廷批准，便私自回家奔喪，内心深處，也是有點想扔掉江西這個爛攤子的想法。這是曾負左之處。

左所統率的楚軍縱横贛浙，大量消滅太平軍的有生力量，收復朝廷在這兩省的失地，使曾國荃包圍的南京不斷減少外援和供給，逐漸變成一座孤城。無論是作爲朝廷所任命的東南戰場的最高統帥，還是作爲曾氏家族的兄長，曾國藩都應該感謝爲他的事業做出巨大貢獻的左宗棠，即便左宗棠説過一些過頭話，曾氏也不應負氣絶交。這是曾負左的第二點。

作爲多年相交的老朋友，曾對左的個性應是非常瞭解的。曾一向主張謙抑待人，寬容待人，且對人才極度愛護，爲什麽就不能謙抑、寬容對待這樣一個天下奇才，主動與他講和呢？這是曾負左的第三點。

至于説到左對曾的辜負，那似乎要更重些。

首先，曾對左有救命之恩。左當年陷于樊案官司中，儘管有胡林翼、郭嵩燾、潘祖蔭等人的援助，但他們的分量都不及曾國藩。曾手握重兵，儼然南天柱石，支撑著大清王朝的半壁江山。曾當時的保摺話不多，却是字字千鈞。『剛明耐苦，曉暢兵機』，曾對左的評價很高。

三是杭州克復時逃出太平軍十萬之眾，並未遭到剿殺，故請朝廷不要參劾曾國荃

曾國藩的不滿。尤其是反過來指責左，這令左宗棠極為惱火。九月初六日，左宗棠上奏彈劾

杭州逃出十萬之眾之說毫無根據。並說南京與杭州兩城不能並列，南京早已合圍，杭州並未

合圍，城破後，南京[illegible]說明首領已逃出。左為辯解說，杭州一事，

即使有人要參劾，也找不到參劾的理由。接下來，左對曾的這種態度極為指責，一因意見之

[illegible]之詞。[illegible]洪天貴福在江西被抓，事實證明，洪天貴福一

[illegible]自發「一說是錯誤的」。

曾左之間的這場爭論，導致的結果是兩人從此失和，直到同治十一年曾氏去世，八年之

間互相不通音訊，私交完全斷絕。這樁兩個在當時聲望極大、地位極高的湘軍首領的絕交，

自然會引起廣泛的關注與議論，也使曾左共同的朋友們深為惋惜。不少人試圖從中斡旋調和。王

闓運[illegible]他們勸曾氏與左復和的事。曾氏對此雖不反感，甚至

[illegible]竟沒有主動進行和好的表示。這真是令歷史遺憾

的事情。

事過一百多年了，我們重提這段往事，平心而論，曾負左十之三四，左負曾十之

六七。

在江西期間，[illegible]

今月齋稿　卷一　讀曾國藩

唐浩明讀史隨筆集

一〇八

一〇七

三百九十萬兩，湖南是一個窮困的省份，能撥出如許多銀子濟軍，不容易，所以後來王闓運在光

緒年間寫作《湘軍志》時，認為左對江西貢獻很大。但曾的仗沒有打好，在江西可謂

屢戰屢敗，[illegible]人包圍。又與江西官場關係不團結，狼狽窘困。曾氏本人

也認為自己很無能，是個通國不能容的人。父親死後，他不顧身負重責，不待朝廷批准，便

私自回家奔喪，內心深處，仍是有著拋棄江西這個爛攤子的想法。這是曾負左之處。

左所統率的楚軍[illegible]浙江，大量消滅太平軍的有生力量，[illegible]，使

曾國荃包圍的南京不斷減少外援的供給，逐漸變成一座孤城。無論是作為朝廷所任命的兩

[illegible]的最高統帥，還是作為曾氏家族的兄長，曾國藩都應該感謝左為他的事業做出巨大貢獻的

[illegible]

[illegible]

[illegible]

[illegible]

人的發明，但他們的分量都不及曾國藩。曾手握重兵，儼然為支撐大清王朝的半

壁江山。[illegible]

『辦理湖南團防』『簡用藩臬』，曾對左倚恃很重。這樣的話，雖無『國家不可一日無湖南，湖南不可一日無左宗棠』的文采，却有實實在在的重量。曾的這份保單，對左的命運有扭轉乾坤的作用。對于左，面對著如此救命之恩，結草銜環以報都不爲過，怎麽可以那樣意氣用事呢？

其次，曾對左有知遇之恩。脱離樊案官司後，朝廷命左隨同曾國藩襄辦軍務，此後的左宗棠應該是曾的直接下屬。不久，曾氏就任兩江總督，接下來，朝廷又命曾除節制兩江所轄的江蘇、安徽、江西三省外，還要節制浙江省，左宗棠的楚軍此時正在浙江作戰。曾氏在辭謝節制四省的奏摺中説：『以臣遥制浙軍，尚隔越于千里之外，不若以左宗棠專辦浙省，可取決于呼吸之間。左宗棠前在湖南撫臣駱秉章幕中贊助軍謀，兼顧四省，其才實可獨當一面。應請皇上明降諭旨，令左宗棠督辦浙江全省軍務，所有該省主客各軍，均歸節制。』

正是有『專辦浙省』『獨當一面』『督辦浙江全省軍務』這些話，一個月後，左宗棠就被特授浙江巡撫，頃刻之間成爲一個二品方面大員。曾對左，亦可謂恩重如山。左即便不厚謝，也不應該以惡報。

再者，出于對大局的責任心與對朝廷的忠誠，左向朝廷報告幼天王逃出南京城一事是應該的，但作爲同一營壘的戰友，如此大事，應該先與曾氏兄弟溝通，至少是一面報告朝廷，一面知會曾氏。像這種類似于打小報告的做法，不要説曾氏是東南戰場的主帥，是一個曾經于自己有大恩者，即便是一般的同事，心裏也難免不愉快。

正因爲如此，筆者認爲，曾負左占十之三四，左負曾占十之六七。

左爲什麽要這樣負曾？左也不是完全不通情理知恩不報的人。對于上了那道『湖南不可一日無左宗棠』摺子的潘祖蔭，左在發迹之後，每年送敬銀一千兩給他。潘好古玩，左把在西北得到一件價值連城的三代時期青銅鼎送給了他。但爲什麽對同樣上摺説情的曾，左却要這樣跟他過不去呢？論者大都認爲這是源于左的功名情結。左是舉人出身，他其實終生以自己的乙榜出身而遺憾，但他却偏偏要極力抬高乙榜的地位，貶低進士翰林。不少野史都記録這樣一個故事。

左外出巡視，接見官員，先看名片。名片上寫的進士出身，就壓下來暫不見，若寫的是舉人出身就先接見。《清稗類鈔》上記載一則故事。説是光緒十年，左宗棠以欽差大臣身份出京督辦福建軍務，路過九江時接見當地官員。見官員們皆爲進士出身，他毫無興致。後來見到九江府同知王惟清，名片上寫的是舉人出身。左見之大喜，以極恭敬的態度請王上座，并問王：舉人與進士誰更優秀。王知左的心思，就逢迎説：舉人優秀。左心裏高興，但故意裝作不理解，問王爲什麽。王是一個很會説話的人，于是當著左的面做了一篇大文章。王説一個人做秀才時，他經營的僅僅祇是八股試帖，没有功夫去做其他事。考上進士後，若爲翰林，則得應付大考、差試等麻煩事，必須騰出時間來練習書法，攻讀詩賦；若爲部曹、知縣，

一辦理湖南團防「一爵用藩臬」，曾對左評價很重。這樣的話，無異「一國不可一日無湖南，湖南不可一日無左宗棠」的文采，其有實在的分量。曾的這份保單，對左的命運有扭轉乾坤的作用。對于左而言，此救命之恩，結草銜環以報都不為過，怎麼可以那樣意氣用事呢？

其次，曾對左有知遇之恩。樊燮案官司後，朝廷命左隨同曾國藩襄辦軍務，此後的左宗棠應該是曾的直接下屬。不久，曾氏就任兩江總督，接下來，朝廷又命曾節制兩江總督所轄的江蘇、安徽、江西三省外，還有浙江省。左宗棠的楚軍此時正在浙江作戰，曾氏在謝節制四省的奏摺中說：「以浙省軍事，尚隔數千里之外，不若以左宗棠專辦浙省，可取決于呼吸之間。左宗棠前在湖南撫臣駱秉章幕中，贊助軍謀，兼顧四省，其才實可獨當一面。應請皇上明降諭旨，令左宗棠督辦浙江全省軍務，所有該省主客各軍，均歸調遣。」正是有「專辦浙省」一語，才有「督辦浙江全省軍務」這一差。一個月後，左宗棠就被授浙江巡撫，頃刻之間成為一個二品方面大員。曾對左，亦可謂恩重如山。左即便不報恩，也不應該以怨報德。

再者，出于對大局的責任心與對朝廷的忠誠，左向朝廷報告幼天王逃出南京城一事是應該的，但作為同一營壘的戰友，面對此大事，應該先與曾氏兄弟通通氣，至少是一面報告朝廷，一面也會同曾氏。像這種背後打小報告的做法，不要說曾氏是東南戰場的主帥，是一個對

于自己有大恩者，即便是一般的同事，心裏也難免不滿。

正因為如此，筆者認為，曾負左者十之三四，左負曾者十之六七。

左為什麼要這樣負曾？左也不是完全不通情理、知恩不報的人。對于上了那道「湖南不可一日無左宗棠」摺子的潘祖蔭，左在發跡之後，每年送銀一千兩給他。潘好古玩，左在西北得到一件價值連城的三代時期青銅鼎送給了他。但為什麼對同樣上摺讚揚的曾，左要這樣跟他過不去呢？論者大都認為是源于左的功名情結。左是舉人出身，他其實終生以自己的乙榜出身而遺憾，但他卻偏偏要顯示乙榜高于甲榜的能耐，故作輕蔑進士翰林。不少野史筆記都記載這樣一個故事：

左外出巡視，接見官員，先看名片，名片上寫的進士出身，就壓下來暫不見；若寫的是舉人出身就先接見。《清稗類鈔》上記載一則故事，說是光緒十年，左宗棠以欽差大臣身份出京督辦福建軍務，路過九江時接見當地官員。見官員們名帖上寫進士出身，他毫無興致，接見到九江府同知王某，王某是舉人出身，左見之大喜，以極其恭敬的態度請王上坐，並問王：「舉人與進士誰更優秀？」王知道左的心思，就說：「舉人優秀。」左心裏高興，但故意裝作不理解，問王為什麼？王是一個很會說話的人，于是當著左的面做了一篇大文章，說：一個人做秀才時，他經營的便僅僅就是八股試帖，沒有功夫去做其他事。考上進士後，若為翰林，則治應付大考，考試者深有專事，必須騰出時間來練習書法，攻讀詩賦；若為知縣，

則事務繁多，還要奔走于應酬鑽營之間，更無心思去積纍真才實學。唯有舉人，功名告一段落，胸襟得以初展，志氣開始恢宏，既有心情，又有時間去研究經世文章、政治沿革等實在有用之學。若幸而出來做官，擔任要職，平時的積纍，這時都派上用場。世上舉人出身的官員，少有尸位素餐者，所以舉人優秀。左聽後拍案叫絶，一再稱贊：真是一篇好議論，我能聽到如此議論，真是有幸，足下是近幾十年來官員中的佼佼者。説完後，親自將王惟清送出門外。又對站在門外的官員們説：九江府裏的好官員，僅僅衹有王惟清一個人，可惜他長期得不到遷升。

曾科舉順利，二十八歲即中進士點翰林，已爲左眼中的不喜之人；何况戊戌年兩人同考，曾中左不中，而中的曾考過七次秀才，不中的左連一次秀才都不考，可以想見，左心裏是如何的憤懣，是如何的對曾看不順眼！

其次是左的瑜亮情結，即左有三國時期周瑜的心態：既生瑜，何生亮！也就是説左容不得居他之上的曾。此説也有道理。從左的功名情結上可以看出，左的胸襟不够寬闊。左經常批評曾在調兵布陣上的『才短』『鈍滯』『才略太欠』『非戡亂之人』，晚年更是與人談話衹有兩個話題：一是誇耀自己的西北戰功，二是罵曾不會打仗。他也經常跟人説，人們都説曾左，爲什麽不説左曾？左這樣做，無疑是在向世界宣布，中興名臣左應爲第一。

這些分析都對，但導致曾左最終决裂的真正罪魁禍首，是朝廷，是朝廷陰險地利用了左的報告，有意挑起曾左之間的這場争辯，導致二人不和的這個後果，正是他們所希望的結局。

如果朝廷不把曾左單獨上的奏摺通報對方，一個在南京，一個在杭州，曾怎麽知道是左打他的小報告？左又是爲何知道曾揭他的短？他們彼此之間，并不能看到對方所上的奏摺。若是朝廷不希望造成這兩位有功之臣的對立的話，完全可以隱去左氏的名字，也完全可以不把曾氏的意氣之詞告訴左。

朝廷是存心的。這個心并非起于此時，而是已存于許多年了。自從曾氏的湘軍誕生那一刻起，朝廷對曾氏采取的就是又用又疑的態度：一面利用曾氏爲之賣命，一面又對曾氏嚴加戒備，怕他擁軍坐大。這裏明顯的證據就是九年間不給他地方實權，讓他長期處于客寄虛懸的狀態，人爲地造成曾氏因糧餉籌集不易影響士氣而使得軍事不利。到了湖南軍事力量抱團結夥迅速崛起的時候，朝廷又采取以湘制湘分立山頭的辦法，以形成互相牽制，互不買賬，曾氏不能一人獨掌大權的局面。在曾氏客寄虛懸的年代，將資歷、貢獻都不如曾氏的江忠源、胡林翼、劉長佑先後擢升爲安徽、湖北、廣西巡撫，便是最好的證明。

左的奏報，爲朝廷提供了一個極好的利用機會。朝廷中那些打仗無能却傾軋有方的人充分把握這個機會，做足文章，最後收到了如願之效。從前有人説這是曾國藩與左宗棠兩個人事先商量好的一個苦肉計，故意互相打壓，藉以消除朝廷的嫌猜。這種説法，根據似乎不太充足，但也正好説明曾左不和的根子在于朝廷。

世人多以『凶終隙末』來概括曾左一生的交往，并給予很多的嘆息。其實，以『凶終隙

末』四字來概括，并不很確切。在那些年月裏，兩人雖然没有直接的交道，但在公務往來中，依然可以看到先前的戰鬥友情在其間起著明顯的作用。

同治五年十月，左宗棠在赴陝甘總督任上，奉命先進陝西對付張宗禹的捻軍。曾氏特派身邊得力戰將皖南鎮總兵劉松山，率老湘營九千人幫助左。捻軍平定後，左宗棠在同治七年七月二十日專門上奏，爲劉松山請功，并極力贊揚曾氏的知人之明、謀國之忠。說自己十多年前就知道劉松山，但未特别看重，曾氏却格外賞拔劉。劉松山一軍，曾氏爲之解餉一百多萬兩銀子，使劉能一心打仗，無後顧之憂。左誠懇地說：『此次巨股蕩平，平心而論，何嘗非劉松山之力！臣以此服曾國藩知人之明、謀國之忠，實非臣所能及。』并請朝廷『將曾國藩之能任劉松山，其心主于以人事君，其效歸于大裨時局，詳明宣示，以爲疆臣有用人之責者勸』。

曾則對左在西北的軍功由衷地予以贊揚，稱左爲天下第一人，即便胡林翼活到現在，他的成就也不能與左相比，其他人就更不要說了。當左與郭嵩燾鬧意見時，曾爲左説話，稱『季高畢竟是我輩中人，而非曲性小人』。

曾去世後，正在甘肅平回的左宗棠送來挽聯：『知人之明，謀國之忠，自愧不如元輔；同心若金，攻錯若石，相期無負平生。』短短的二十八個字，把自己對曾的敬重之心及與曾的相處之道，説得懇摯真誠，令人推服。挽聯上自署『晚生』二字，以示格外的尊重。同時，左又致信兒子，說明他與曾的争論是在國事兵略上，非私人之間的争權競勢，令兒子在曾氏的喪舟路過湘陰時，代表他登船祭奠，并送上奠儀四百兩。

曾死後，左對曾的兒女也盡力關照。光緒六年，曾紀鴻寓居北京，因生病向人借錢。遠在新疆的左宗棠得知，致信老部下時任甘肅布政使楊昌濬。告訴楊，他去冬贈送京官銀兩中尚有三百兩存入某處，可以送給紀鴻，并說：『栗誠（紀鴻字）本同鄉京官，弟應修饋歲之敬，且故人子也，謹厚好學，弟所素知。適因音問未通，不知其留京與否，遂偶忘之。台端書復栗誠，乞代爲道意。』

曾的小女兒紀芬在晚年的回憶録中，深情地談到左對她及其丈夫聶緝槼的關愛照顧。光緒八年，左氏任兩江總督，時曾紀芬夫婦正在南京。左委聶爲上海製造局會辦，這是所謂辦洋務的肥差使。紀芬說，她的丈夫『一生感激文襄知遇最深』。左又邀請十年前在兩江總督衙門裏住過的紀芬舊地重游，特開中門，讓她的轎直接抬到內室。左與紀芬聊天，要紀芬以叔父視他。左甚至高興地對别人說：『滿小姐已認吾家爲其外家也。』

光緒十一年七月，七十四歲的左宗棠以欽差大臣督辦福建軍務的身份病逝于福州。消息傳出，曾氏長孫廣鈞含泪賦詩悼念：『全將浩氣還天地，更作明神翼聖朝。圖史馨香有磨滅，不滅名字在雲霄。』曾廣鈞這些詩句，表達的應該是曾氏家族的共同心聲。

種種史册所載，都可以看出左氏挽曾氏聯中的『同心若金』的話，并非虛言應景。

三、曾左比較

曾左二人有不少相同之處。他們同爲出身耕讀之家的平民子弟，從小都有大志。他們同爲信奉孔孟之道有過功名積極入世的讀書人。他們同爲書生領兵并建立赫赫軍功的典範，并同爲封侯拜相的大成功者。他們同爲晚清的中流砥柱，同爲洋務運動的先驅。他們同爲廉潔自守、不謀私利的高級官員。他們同爲對中華民族有過巨大貢獻的中華兒女（曾捍衛中華文化，左收復新疆）。

但他們也有許多不同之處。

首先是他們的才具不同。曾氏屬于全才型人物。他做京官，十年七遷，遍兼五部，三十七歲就升到從二品高位。做地方官，管理天下最富庶的兩江與最重要的直隸，都游刃有餘。不僅是行政長才，更是軍事高手。他的軍事之才主要表現在：一、白手起家組建一支軍隊。二、爲這支軍隊灌注精神靈魂（樹起一面大旗：衛道。倡導一種風尚：血誠。規定一條軍紀：愛民）。三、制定戰略規劃。他做官最大的長處是能發現人才，培養人才，所謂善于將將而不善于將兵。他爲國謀劃的最大成就是師夷之智以徐圖自强。除開從政外，曾氏還是散文家、詩人、書法家。一句話，曾氏是政治家、領袖，是通才，是帥才。

左的才幹集中體現在用兵打仗上。他是中國歷史上罕見的卓越軍事家，出奇兵，謀奇策，以少勝多，特别是以六十九歲高齡，滿頭白髮舁櫬出關這一情景，真是一幅令人不能不感動不能不佩服的英雄圖。但左氏在行政上，在學問上，在識人用人這些方面，過人之處不是太多。左氏衹能算是軍事家，是專家型人才，是將才。

其次是他們的爲人上有很大的不同。

曾氏爲人，最大的特點是自省克己。曾氏其實也是一個缺點不少毛病不少的人。我曾經據曾氏日記，歸納出青年時期曾氏的幾大毛病：浮躁、虚僞、狹隘、自以爲是、無恒心、好名、好利、有不良嗜好。但他在史册上留下的形象是爲人謙抑自退，寬容忍讓，不居功，不凌人，別人對他的尊敬不僅出之于口，而且服之于心，被稱爲一代完人，千古楷模。之所以這樣，完全取决于他的修身工夫，具體的表現一是自省，二是克己。曾氏在三十一歲至三十九歲時，在翰林院期間有一個長達八九年的刻苦自勵的修身生涯，他以誠意、恭敬、謹言、静心、有恒作爲每天的功課，對自己做一番滌舊生新的修煉重鑄。這段時期幫助他克服不少自身的毛病，培育了一些良好的習性。這種修身，他後來一直堅持，直到去世的前夕，他還反省自己『通籍三十餘年，官至極品，而學業一無所成，德行一無所許，老大徒傷，不勝悚惶慚赧』。他面對功勞的『功成身退』，他做事方式的『拙誠』『平實』，他對人生期望的『求闕』『惜福』等等，足以體現他爲人的特色。

左氏爲人，最大的特點則是率真任性：心裏想的，就是口裏説的；任著自己的性子來，不加約束。他不知掩飾，也不顧及別人的感受。他對自己的毛病和缺點也從不知道要修繕，

三、曾左比較

曾左二人有不少相同之處。他們同為出身耕讀之家的子弟，從小都有大志，[illegible]通過努力都成為讀書人。他們同為書生，在[illegible]軍功的[illegible]同為封侯拜相的成功者。他們同為晚清的中流砥柱，同為洋務運動的先驅。他們同[illegible]不甘於科舉的高級官員。他們同為對中華民族有過巨大貢獻的中華兒女（[illegible]左氏[illegible]編）。

但他們也有許多不同之處。

首先是他們的本具不同。曾氏屬于全才型人物，他做京官十年七遷，遍兼五部，[illegible]就升到從二品高位。做地方官，管理天下最富庶的兩江與最重要的直隸，都有[illegible]僅是行政長才，更是軍事高手。他的軍事才能主要表現在：一、白手起家組建一支軍隊，為這支軍隊確立建軍之魂（樹起一面大旗，營造一種風尚，制定一條軍紀）；二、制定戰略規劃[illegible]所謂善于將將而不善于將兵[illegible]。他為國家做的最大[illegible]國自強，除開辦洋務外，曾氏還是散文家、書法家[illegible]一流。曾氏是政治家、經濟才，是帥才。

左氏的才幹集中體現在用兵打仗上。他是中國歷史上罕見的軍事家，出奇兵，謀[illegible]以少勝多，特別是以六十九歲高齡，舁櫬出關，收復新疆，真是一曲令人不能不感動的英雄壯圖。但左氏在[illegible]上，在識人用人這方面，遠不[illegible]。左氏祇能算是軍事家，是專業型人才，是將才。

其次是他們的為人上有很大的不同。

曾氏為人，最大的特點是自省克己。曾氏其實也是一個缺點不少毛病不少的人。據曾氏日記，他就曾說出青年時期的幾大毛病：浮躁、虛偽、傲慢、自以為是、恆心[illegible]好利，有不良嗜好。但他[illegible]不居功，不[illegible]別人對他的好感不由之而生。而且最之為一代完人，千古楷模之所以，完全取決于他的修身工夫。具體的表現一是自省，二是克己。曾氏在三十一歲至三十九歲時，在翰林院期間，有一個長達八九年的刻苦自勵的修身生涯。他以誠意、謹言、靜心、有恆作為每天的功課，[illegible]這段時期[illegible]他已成不少自[illegible]了一些良好的習性。這種修身，他後來一直堅持，直到去世的前夕。他還反省自己：「通籍三十餘年，宦至極品，而學業一無所成，德行一無所許，老大徒傷，不勝悚惶慚赧。」他面對功名的「功成身退」，他做事方式的「推誠」「平實」，他對人生期望的「求闕」[illegible]，足以說明他為人的特色。

左氏為人，最大的特點則是率真任性：心裏想的，就是口裏說的，任著自己的性子來。不用的東西，也不知節省，也不顧及別人的感受。他對自己的毛病和缺點也從不知道要要改正，要克服。

他自尊心極强。三次會試告罷，就一氣之下絕意仕途。其實，以左的才學，再參加一次會試，説不定就中了，整個的人生，就將是另一番模樣。

他自視很高，自我期許很大，在人前也不加以掩飾。他自比諸葛亮，給人寫信，常以『今亮』自署。晚年平定西北，甘肅學政吴大澂爲討好他，以杜甫的『諸葛大名垂宇宙』一詩爲諸生試題。左聽後，非常高興。第二天故意問身邊的官員們，學政出的試題是什麽。官員們據實回答。左拈鬚微笑，一邊不停地説『豈敢，豈敢』。一派今日諸葛亮的模樣。

他好説虚誇之話，喜歡高自標榜。他路過洞庭湖時，夢中見有人來打劫。他給夫人寫信時，就説自己在洞庭湖與水賊打鬥，將賊人打得狼狽而逃，保護了大家。他的謊話被朋友揭穿後，不但没有愧色，反而挺認真地對朋友説：你不懂，史册上將鉅鹿之戰、昆陽之戰寫得栩栩如生，你以爲真的就是那麽一回事，説不定衹是司馬遷、班固的筆底生花而已。天下事，都應當作如此看。

他不但對夫人説大話，甚至在慈禧太后面前也敢于説大話。陳聲暨編的《侯官陳石遺先生年譜》中説：光緒十年中法戰争爆發時，左宗棠被朝廷派往福建督辦軍務，離開北京前，他向慈禧辭行，竟然對太后説：臣這次去福建一定會旗開得勝，臣過去放生的牛已托夢告訴我了。（左自認爲是牽牛星下凡，對牛格外禮遇。有次他看到一條牛將被殺，就買下來將它放生。）慈禧知道左的這個性格，聽後大笑，連聲説：好，好，我等你的喜訊。

他的脾氣很大，常聽任發作，也不加以克制。他爲巡撫做幕僚，居然可以駡二品大員『王八蛋』，并用脚踢人家的屁股，高叫『滚出去』。他在前方打仗，遇有糧餉稍有遲延的官員，他就以嚴厲的口氣斥責别人，説：倘若仗打敗了，責任要算到你的頭上。

馬叙倫的《石屋續瀋》記載一件事。左任陝甘總督時，一知縣來禀事。左微閉雙眼面無表情，一言不發。知縣見狀，心裏恐慌。説著説著，突然見左宗棠張大雙眼，目光凌厲，問某某是你什麽人。知縣誠惶誠恐地回答是我叔父。左大聲叫道：『好官呀！』知縣不知左這三個字是褒奬還是嘲諷，大驚不已，回家後即病倒。後托人悄悄打聽左之本意，知果是稱贊，知縣的病纔慢慢好起來。

左調任軍機大臣，對身邊或爲協辦大學士或爲尚書的其他軍機大臣，也隨意呼唤，稍不滿意，即大聲呵叱，就如同他在軍營中的表現一樣。一軍機大臣對另一軍機大臣抱怨説：『左相將我輩視同他的軍中下屬一般，隨心使唤。』那個軍機大臣冷笑道：『軍中下屬，你這是抬高自己的話，在左相眼裏，我輩就是他的奴才僕人。』

他在軍機處，也不把朝廷的規矩放在眼裏。請他看一道奏摺，他每看一段，則議論一番，摇頭晃腦，大聲評論。一道奏摺，三四天還看不完。按慣例，軍機大臣全班見慈禧太后，衹有領班大臣一人上奏，其他人不問不做聲。左不管這些，待領班大臣恭親王説完後，他不等

慈禧發問，便越次爲他的老部下王德榜求官。慈禧尊重左，立刻答應。出廷後，左便要軍機處下令王德榜謝恩。恭王哭笑不得，勸道：『莫著急，且等詔命下達以後，再令王德榜謝恩不遲。』

凡人來見他，他議論滔滔，不著邊際。要麼一個勁地吹噓自己在西北的戰功，要麼就是罵曾國藩打仗没本事，弄得別人在他面前不知所措。

慈禧太后過生日這樣隆重的祝賀集會，左宗棠居然都遲到。朝廷大員本來就多有對他不滿之處，這下有題目做文章了。于是禮部尚書延煦就上奏彈劾他。説左以舉人拜相，已屬格外優待，不知感恩而竟日驕肆，應予以懲罰。慈禧太后念左功高年老，將摺子留中，也不處罰左。但左却大感委屈，高叫軍機大臣不是人做的，他不要做這個官了。慈禧也便順水推舟，衹做了半年軍機大臣的左宗棠便被外放兩江總督，離開京師南下。左倒很高興，如同遇到大赦一樣。

左到了晚年，更是有點老頑童的味道。他聽説鄉親們都想來看他，很高興，説：『好，好，你們都來看吧，看看左三爹爹吧！』又問身邊的老鄉親，你們看如今的左三爹爹跟以前的左三爹爹有什麼不同。有的説没有不同，有的説老了點，也有的説，其他都没變，就是肚子大了。左聽後很高興，拍拍自己的大肚皮問：『你們猜，我這肚皮裏裝的是什麼？』有的説裝的一肚子人參燕窩，也有的説裝的是一肚子屎尿。左聽了也不生氣，反而笑哈哈地説：『你們都猜錯了，我這裏裝的是一肚子絶大經綸。』有一個老農民大爲奇怪，問道：『左三爹爹，

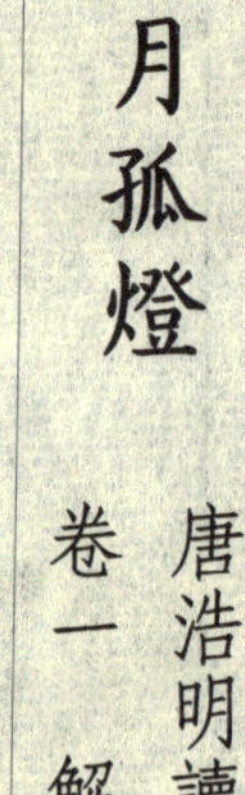

你把車輪子裝到肚子裏去了。』弄得滿屋大笑，左更是笑得眼泪都出來了。他很享受這種不受任何禮儀限制的鄉居生活。他常對別人説，湖南近幾十年出了三個著名的兩江總督，一個是陶澍，一個是曾國藩，一個是我。陶、曾不如我，没有進軍機處。不過，我也有不如他們的地方，我没有他們的長鬍子！説得大家都開懷大笑。

七十三歲那年，法國軍隊侵犯福建。朝廷命左以欽差大臣身份視師福建。左那時已老病衰弱了，但他不服老，堅執要帶兵渡海到臺灣去駐扎。身邊的人都知道左已根本受不了海濤的顛簸，于是早上用船載著左出海，在近海一帶行駛一段時間再返回海邊。對左説，遇到逆風，船不能再開。每天都如此來回一趟。這樣折騰七八天後，左衹得放弃進駐臺灣的想法。

左就是一個這樣的人，一個爲人做派完全不同于曾的人。

第三是境界不同。

曾事事處處以聖賢要求自己，在事功建立的同時，不斷地對自己的人格予以完善，反過來，又以日趨完善的人格力量去推進事功的進展，并以這種作爲去教育感化人群，感化社會。曾氏的這種作爲，就是立德之舉，就是内聖工夫。他做的就是儒家學説所極力推崇的聖賢事業，是人類社會最崇高最偉大的事業。曾氏因此也便被視爲聖賢。

左則事事處處張揚自我，他努力之處是在建立最大的事功，并在事功建立的過程中實現自我價值的最大化。爲團隊立功，爲國家立功，爲民族立功，在建立豐功偉績的同時，也便

自我價值的最大化。爲國家立功，爲民族立功，在建立豐功偉績的同時，也便
左則事事處處張揚自我，他努力之處是在建立最大的事功，并在事功建立的過程中實現
是人類社會最崇高最偉大的事業。曾氏因此也便被視爲聖賢。
氏的這種作爲，就是立德之舉，就是內聖工夫。他所做的就是儒家學說所極力推崇的聖賢事業，
又以日趨完善的人格力量去推進事功的進展，并以這種作爲去教育感化人群，感化社會。曾
曾事事處處以聖賢要求自己，在事功建立的同時，不斷地對自己的人格予以完善，反過來

第三是境界不同。

左就是一個這樣的人，一個爲人做派完全不同于曾的人。

船不能再開，每天都如此來回一趟。這樣折騰了八天後，左氏祇得放棄進軍臺灣的想法。
的頭領。于是早上用船載着左出海，航行一段時間再返回海邊，對左說，遇到颱風，
家了，但他不服老，堅持要帶兵渡海到臺灣去主持。身邊的人都知道左已根本受不了海上
七十三歲那年，法國軍隊侵犯福建。朝廷命左以欽差大臣身份督辦福建軍務。左那時已是
的地方，我沒有他們的長處！」說罷大笑，朝野聞之亦大笑。
是兩湖，一個是曾國藩，一個是我。論及曾，則不如我；但我也有不如他們
受任何禮儀限制的拘束生活。他常常對別人說：湖南近幾十年出了三個著名的人物，一個
你把車輪子裝到肚子裏去了。」一屋子的人哄堂大笑，左更是笑得眼淚都出來了。他很享受這種不

們都清楚了，我這裏是一批大雜燴。」有一個老農民大着膽子問道：「左三爹
的一批子人參議的，也有的說是一肚子學問。」左聽了也不生氣，反而笑哈哈地說：「你
了。左聽後很高興，拍着自己的大肚皮問：「你們猜，我這肚皮裏裝的是什麼？」有的說是一
三爹爹有什麼不同。有的說沒有不同，有的說老了點，也有的說：其他都沒變，就是肚子大
你們都來看吧，看看左三爹爹！」又問身邊的人：今天的左三爹與以前的左
左回到了湘陰，他是有名有聲的人物。他在鄉親們面前說：「好，好，
了半年軍機大臣的左宗棠便被外放兩江總督。離開京師南下，左如同遇到大赦一樣。
但左卻大感委屈，高叫軍機大臣不是人做的。他不耐煩這種官場生活，于是慈禧也便順水推舟，并
外優待。不知感恩而竟自驕自滿，應予以議處。慈禧太后念其年高有功，將其留中，也不加處分。左已
議之處。這下可不得了，遭人參奏。
慈禧太后過生日這樣隆重的典禮，他竟未到。
曾國藩打仗沒本事，并把別人放在他面前而不知所措。
凡人來見他，他議論滔滔，不甚高深，要麼一兩句訓人，自己在西北的戰功，要麼就是
不過一一。
這不今上德諾謝恩，恭王要來，不得。
慈禧發問，便依照他的老部下主動請纓出征。

把自己的名字銘刻在青史上。左做的這種事業習慣上被稱作豪杰事業。比起聖賢事業來，要略遜一籌。左被認爲是唐太宗以來對國家疆土有最大貢獻的第一人。左毫無疑問是一個偉大豪杰。

在各自事業上，曾左二人都做到了極致；在爲人上，二人也把自己的特色，發揮到了極致。因爲他們都爲人類社會的推進，爲國家與民族的利益做出了大貢獻，都爲人們樹立了一個極高的榜樣，所以值得人們景仰。百餘年來，曾左都有不計其數的崇拜者、追星族。但曾的目標太高，過高的目標便顯得有點虛幻，其實也將永遠達不到。曾對自己的要求太苛嚴，過于苛嚴的自我要求也就會約束太多。所以曾一輩子過得很累很苦很不自在。左從心所欲，肆意揮霍天性，活得很瀟灑，但過于自我的人，容易傷害別人，不宜于團體的組合，最後也就不利于自己。左是遇到了百年難逢的天賜良機，否則他這一生就被埋沒了。

所以，我想以兩句簡短的話來概括曾與左，并結束這篇文章：

曾國藩可學但不可全學，左宗棠可愛但不可模仿。

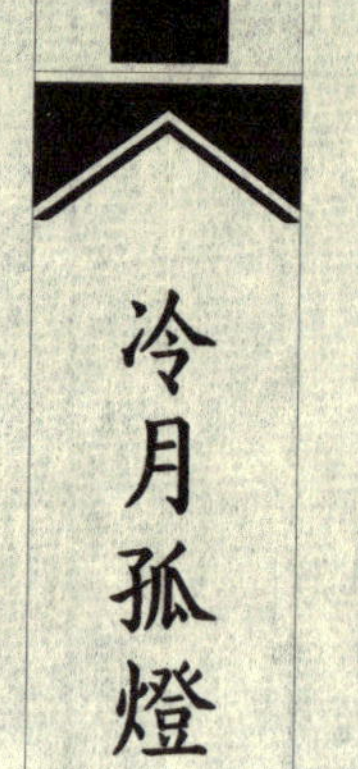

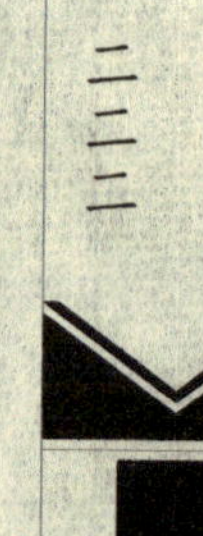

曾國藩與李鴻章

曾國藩和李鴻章都是晚清政壇上知名度甚高的人物。人們知道這兩人都是靠軍功起的家，後來又都封侯拜相，在中國近代的洋務運動中也都扮演了重要的角色；但許多人不一定知道，他們兩人是一對師生，尤其對于曾國藩來説，他一輩子儘管門生遍天下，而其嚴格意義上的學生則僅衹李鴻章一人。

曾、李之所以成爲師生，其緣由在于李的父親李文安。道光十八年，三十六歲的李文安與二十八歲的曾國藩同時考中進士。在當時，這種關係被稱爲同年。剛剛進入官場的這批科考勝利者，除個別世家子弟外，大部分人都没有身處此中所必不可缺的關係網。于是，這種由天意所安排的同年，便成了他們日後關係網中的最初經緯綫，故而彼此都看得很重，若有性情投合互相欣賞者，則更會成爲親密朋友。于是，從安徽廬州府來的李文安，與從湖南湘鄉來的曾國藩，便因類似的家世和相投的性情而成了關係密切的朋友。經過再一輪的篩選，曾國藩登上科舉的最高層——翰林，李文安則受挫而分發刑部任主事。

五年後，曾國藩升爲翰林院侍講學士，因理學修養和詩文創作上的成績，已成爲京師官場上一個前景看好的後起之秀。這一年，李文安次子鴻章來京參加隔年的順天鄉試。在父親的引薦下，他來到繩匠胡同曾國藩寓所，拜這位『年伯』爲師。曾國藩見李鴻章儀表端正、

把自己的名字鐫刻在青史上。左宗棠做的這種事業，古人稱作豪杰事業，比起曾國藩的事業來，要略遜一籌。左宗棠被認爲是唐太宗以來對國家疆土有最大貢獻的第一人。左宗棠無疑問是一個偉大豪杰。

在各自事業上，曾左二人都做到了極致；在爲人上，二人也把自己的特色發揮到了極致。因爲他們都爲人類社會的進步，爲國家與民族的利益做出了大貢獻，都爲人們樹立了一個高的榜樣。所以值得人們景仰。百餘年來，曾左都有不計其數的崇拜者、追隨者。但曾的目標太高，過高的目標更顯得有點虛幻，其實也永遠達不到。曾對自己的要求太苛刻，過于苛刻的自我要求也就會約束太多。所以曾一輩子過得很累很苦很不自在。左恣心所欲，率意揮灑大計，往往很難。但過于自我的人，容易傷害別人，不宜于團體的組合，最後也就不利于自己。左是遇到了百年難逢的大機遇大時機，否則他這一生就被埋沒了。

所以，我想以兩句話來概括曾與左，並結束這篇文章：

曾國藩可學但不可全學，左宗棠可愛但不可模仿。

曾國藩與李鴻章

曾國藩和李鴻章都是晚清政壇上知名度甚高的人物。人們知道兩人都是靠軍功起的家，後來又都封侯拜相，在中國近代的許多運動中也都扮演了重要的角色，但許多人不一定知道，他們兩人是一對師生。尤其對于曾國藩來說，他一輩子[illegible]門生遍天下，而其中最有意義的學生則僅李鴻章一人。

曾、李之所以成爲師生，其緣由在于李的父親李文安。道光十八年，三十六歲的李文安與二十八歲的曾國藩同時考中進士。在當時，這種關係被稱爲同年。剛剛進入官場的一批新科考勝利者，除個別出自官宦家子弟外，大部分人都沒有官場背景，因此這也是官場中所不可缺的關係網。于是，這種由天意所安排的同年，便成了他們日後關係網中的一條經緯線，故而彼此都看得很重。若性情投合互相欣賞者，則更會成爲親密朋友。于是，從安徽廬州府來的李文安，與湖南湘鄉來的曾國藩，便因類似的家世和相投的性情而成了關係密切的朋友。經過一輪的篩選，曾國藩登上科舉的最高層——翰林，李文安則落選而分發刑部任主事。

五年後，曾國藩升爲翰林院侍講學士，因學識修養和詩文創作上的成績，已成爲京師官場上一個前景看好的後起之秀。這一年，李文安之子鴻章來京參加隔年的順天鄉試。在父親的引薦下，他來到曾國藩門下，拜這位年伯爲師。曾國藩見李鴻章儀表端正，

學篇》，是爲了『絶康梁而謝天下』。他甚至還偷偷派人將自己先前寫的有關維新的題聯抹掉。又如他對袁世凱本無好感，當袁竭力逢迎他時，他又關照袁，最後還爲袁説情，保住了袁的性命。他有一個『十六字爲官真經』，道是：啓沃君心，恪守臣節，力行新政，不背舊章。于是，便有人罵他『巧于仕宦』。

不管怎麽樣吧，張之洞在朝爲清流，外放爲能臣，在晚清官場上，算是一個既能説又能做的官員。可惜，這種官員，官場上太少了。張之洞早年所在的清流黨中的大部分人，便是衹能説而不能做。與他當時關係最爲密切的三個朋友張佩綸、陳寶琛、寶廷便屬于此類。他們都出身清華，少年得志，滿腹經綸，筆底似有千軍萬馬，一時間名震海内，令作奸犯科者聞之發怵，也讓慈禧太后另眼相看，將他們視爲國家的棟梁之材。結果，張佩綸在馬尾戰場中一敗塗地，遭革職流放，後半生抑鬱潦倒。陳寶琛外放會辦南洋大臣，被兩江總督兼南洋大臣曾國荃所參劾而罷官，在家一住便是二十年，直到六十多歲時纔任即將退位的宣統皇帝之師傅。寶廷懼怕别人報復，後來藉娶船妓自劾，從此隱居香山，不知所終。作爲一個政府官員，嚴格地説，這三個人都無實績可言。批評别人的時候，慷慨激昂，頭頭是道，輪到自己親手辦事的時候，又比别人還不行：或膽小怕事，臨陣脱逃；或師心自用，缺乏與共事者的協調能力；或意志脆弱，没有孤身堅守的定力。

如果説，張佩綸所缺在『膽』、寶廷所缺在『識』、陳寶琛所缺在『能』上，那麽，同爲清流名士，張之洞在這三個方面顯然比他的朋友們要强得多。或許，正是這些必要的人格素質上的健全，纔成就了張之洞從清流名士到國家重臣的轉變。

謙恭有禮，心中喜歡，又翻閱他隨身帶來的詩文。當讀到『丈夫隻手把吴鈎，意氣高于百尺樓。一萬年來誰著史，三千里外欲封侯』的詩句時，注目看了看李鴻章那炯炯有神的眼光，翰苑侍講仿佛看到了一個未來的國家棟梁之材，遂欣然點頭，收下這個比他小十二歲的年家子。

翰林院是個清閑之所，有足够的時間讀書作詩文。曾國藩悉心指導李鴻章讀四書五經，做八股文、應試詩。舉業之外，老師也將自己正在修習的儒先性理之學講給學生聽。一年過去了，李無論在舉業還是在真實學問上都長進很大。這年的順天鄉試，他輕易地中了舉。

李鴻章的家境并不寬裕，爲使他消除後顧之憂，曾國藩爲學生在京城謀了一個塾師職業。不料，躊躇滿志的李鴻章在接下來的會試中却落了榜。曾國藩在這次會試中做閱卷官，他對學生的闈中詩文評價很高，鼓勵學生不要灰心失望，繼續努力，等待下科。有著三科會試經歷和負時下文望的老師的這些話，對二十二歲初闖江湖的學生的鼓舞，無疑是巨大的。道光二十七年，李鴻章再次走進會試考場，獲得二甲第十三名優异成績，緊接著又順利通過朝考，成了一名翰林院庶吉士。李鴻章便這樣以極爲清貴的身份進入官場。他自己的聰明勤奮固然是第一位的，曾國藩的用心指點，無疑爲他敞開功名大門起了重要的作用。

從這一年到咸豐二年，做老師的官運亨通，會試剛結束，便一夜之間連升四級，從一名中級官員躍爲從二品侍郎銜的卿貳大臣；再隔兩年，正式做起了禮部侍郎。然後，在短短的三年裏，中央六個部，除户部外，他做過五個部的侍郎，真可謂風光無限。做學生的則以編

修的官銜，充分利用翰林院的清閑，讀書治學，儲才養望，爲日後的大事業夯下厚實的基礎。盧溝曉月，西山晚霞，伴隨著這對師生在京師一道度過十年平静的歲月。

咸豐二年四月，太平軍由廣西殺進湖南。從此，原本在邊隅之省鬧騰的這些拜上帝會的兄弟們，將戰火燒到長江中下游，一切固有的社會秩序都給打亂了，神州大地尤其是東南半壁河山失去了太平。許許多多人被迫捲入戰亂之中，曾國藩與李鴻章也先後并非情願地被捲了進來，而且被捲進漩渦的中心。

太平軍攻打湖南省垣長沙時，曾國藩恰因母喪回湘。朝廷于慌亂之中一口氣任命了四十三個團練大臣，以大辦團練來協助朝廷正規軍在江南的戰事，曾被第一個點了名。經過一番反復考慮權衡後，他墨絰出山，正式做起湖南省的團練大臣來。稍後一點，李鴻章也被徵調回籍辦團練。

關于李的回籍，有一個傳説。有一天，李在琉璃廠書肆悠閑自得地淘書，偶遇一個老鄉。老鄉對他説，你還有心思逛書肆哩，咱們家鄉已亂成一團糟了！老鄉于是把安徽已成大戰場的變故簡略地説了一下，并請李上書朝廷，派兵救助。李當時祇是一個低級官員，没有給朝廷上書的資格，于是找到同是皖籍的工部侍郎吕賢基。吕答應上書，要李代他擬稿。李花了一個整夜將奏章弄好，天明即送到吕家。中午時分，他到吕家打探消息。離吕家大門尚有十多步，便聽到從裏面傳來的號啕哭聲。李心中詫异，來到屋裏，見男女老少都在痛哭。吕紅

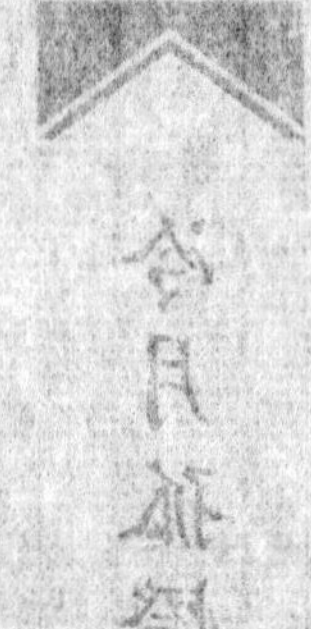

腫著眼睛對李說，都是你慫恿的結果。皇上看了奏摺後說好，立即就派我回籍做團練大臣，這不明擺著叫我去死嗎？我上有老下有小，可怎麼辦！對不起，我已向皇上奏明帶你回安徽，我們一道去死吧！李怔了半晌，做不得聲。

這段故事是否確鑿已不可考，但它透露一個信息，即當時奉旨辦團練的朝廷官員，絕大多數面對著兵凶戰危的前綫是膽怯的。

不管怎樣，這對師生在新的形勢下，又都不約而同地走到一起來了，但因爲分屬兩個不同的軍事團體，彼此之間很長時間并沒有見到面。師生在戰場上的重逢，則是咸豐八年底的事了。

這期間，曾國藩歷經坎坷挫折，已將湘軍建成爲一支擁有水陸兩師七八萬人馬的勁旅，正駐營江西建昌，部署新的軍事行動。李鴻章則是改換門庭前來投靠的。回籍辦團練的李鴻章先跟隨吕賢基，吕戰死後又跟隨巡撫福濟，東奔西跑，轉戰各地，雖也打過一些勝仗，但不如意的時候多，用他自己的話來說，是『茫無指歸』。先一年，他的父親文安去世，大哥瀚章接母親來任所居住。李瀚章在咸豐三年，以優貢的功名分發湖南善化縣做知縣。此時恰好曾國藩在長沙辦團練，一向重視舊誼的他對這位『年家子』予以格外信任，將湘軍的糧草後勤事務交給李瀚章辦理。李瀚章從那以後便跟著曾國藩四處轉移。此刻他的糧臺衙門設在江西南昌。李鴻章在南昌省母期間，兄弟倆談起戰事，爲兄的便勸二弟弃福濟而投年伯。

當李鴻章出現在建昌湘軍老營轅門口時，望著在素日的儒雅中更添幾分英武氣概的學生，曾國藩真是打心眼裏高興。延攬四海賢俊的湘軍統帥，此刻是太需要李這樣的人才了。曾將李留在幕府，做一個幫他起草奏稿、書牘的機要秘書。李才與學都很好，工作幹得很出色，深得曾的贊賞。他對人說：『少荃（李鴻章的表字）天資于公牘最相近，所擬奏咨函批，皆大過人處，將來建樹非凡，或竟青出于藍，亦未可知。』

李鴻章雖然能幹，但身上的毛病亦不少，自由散漫便是他的一個突出的毛病。湘軍軍營慣例是吃完早飯纔天亮，指揮部的早飯雖不及軍營的早，但也是天一放亮便開飯，比普通人家的早飯早得多。李鴻章習慣讀書到深夜，第二天日上三竿纔起床。初來湘軍的他，非常不習慣這頓早飯，常常是寧願不吃飯也不早起。曾國藩却是很看重每天的早飯。他每早跟衆幕僚一道吃早飯，既融洽了感情，又藉此考勤。李的這種懶散作風，很讓曾看不慣。他要將李整治一下。

這一天的早餐，其他幕僚都來齊了，又唯獨缺李鴻章一人。曾國藩眉頭一皺，打發親兵去叫。李睡意正濃，極不耐煩地對親兵說他不吃早飯了。親兵轉告曾。曾拉長著臉說，再去叫。李見親兵又來了，便撒謊說生病了，不能起床。親兵將李的話回復曾。曾很生氣，用手拍著餐桌說，就是生病了也要來，今天人不到齊不開飯。李得知老師已發火，衹得披著衣服急忙趕到餐廳。李到後，大家纔開始吃飯。平時吃飯時，曾和衆幕僚有說有笑。這天早上，他一直一聲不吭，悶頭吃飯。幕僚們見頭兒不說話，也不敢吱聲。李處此狀態下很是尷尬。曾吃完了飯，站起身來，

[illegible]吃飯。曾[illegible]不說話，也不敢[illegible]，李[illegible]吃完一碗，站起身來，

李到後，大家圍坐吃飯。平時吃飯，曾和幕僚有說有笑。這天早上，他一直一聲不吭，

就是生病了，也要來。今天人不齊，不開飯。」李得知老師已發火，[illegible]

說兵又來了，便藉詞說生病了，不能起床。[illegible]的話回[illegible]，曾很生氣，用手拍著桌子說：

李鴻章正[illegible]，極不願意起床，[illegible]。[illegible]再去叫，李見

這一天的早餐，其他幕僚都來齊了，又差親兵去請李[illegible]一人。曾國藩[illegible]頭一皺，打發親兵去叫

整治一下。

來一道吃早飯。既然[illegible]，又非比考勤。李的這種懶散作風，很讓曾看不慣。他要將李

習慣這樣早吃飯，常常是寧願不吃飯也不早起。曾國藩卻是很看重每天的早飯，他每早跟幕僚

家的早飯得多。李鴻章習慣讀書到深夜，第二天日上三竿才起床。初來湘軍的他，非常不

慣，例是吃完早飯後天亮，指揮部的早飯甚至不及軍營的早，但也是天一亮便開飯，比普通人

李鴻章的確[illegible]，但身上的毛病亦不少，自由散漫便是他的一個突出的毛病。湘軍營

大過人處，將來建樹非凡，或竟青出于藍，亦未可知。」

深得曾的賞識。他對人說：「少荃（李鴻章的表字）天資于公牘最相近，所擬奏咨函批，皆

李留在幕府，做一個書記。他起草奏摺，書牘的格式要求，書[illegible]李木學[illegible]好，工作幹得很出色，

曾國藩真是打心眼裏喜歡[illegible]，所[illegible]的湘軍統帥，此刻是太需要李這樣的人才了。曾將

當李鴻章出現在曾國藩門口時，曾[illegible]

江西南昌。李鴻章在南昌[illegible]兄長[illegible]

後勤事務交給李[illegible]辦理。李鴻章從那以後便[illegible]

年曾國藩在長沙辦團練，一向重視[illegible]

鄉章[illegible]來任所[illegible]任。李鴻章在[illegible]三年，以[illegible]

不如意的[illegible]多，用他自己的話來說，是一事無成。[illegible]

章先[illegible]，東李[illegible]

正[illegible]江西[illegible]。李鴻章則是[illegible]前來投奔的。回[illegible]

[illegible]

[illegible]

這[illegible]

[illegible]不明不白[illegible]死[illegible]

[illegible]都是[illegible]，立即就派[illegible]回曾國藩大營。

對李說：『少荃，既入我幕，我有言相告，此處所尚，惟一誠字而已。』說罷拂袖而去。

這次整治對李鴻章的震動很大，除整了他的自由散漫的習氣外，還敲了敲他『不誠』的缺點。從此以後，李收斂多了。他對老師又敬又畏，從各方面更爲虛心地向老師學習。李在爲老師辦事的同時，自己也得到很大的歷練，逐漸成熟起來。有一樁大事的處理，讓李幫了老師的大忙；同時，也使老師由此看出他過人的政治才幹。

咸豐十年八月，英法聯軍攻占天津，直逼京師。咸豐皇帝留下六弟恭王在京應付洋兵，自己携帶一大群親信和后妃逃往熱河行宮。半途中，下了一道聖旨給曾國藩，命他速派鮑超一軍北上救援。鮑超是湘軍中的一員悍將，他指揮的部隊稱爲霆軍。霆軍的戰鬥力較强，曾國藩不想讓它離開與太平軍交手的戰場，但聖命又不可違。曾召集幕僚們商討此事。大多數幕僚主張服從命令派霆軍北上勤王，也有少部分認爲將在外君命有所不受，軍情緊急，不能發兵。唯獨李鴻章一人提出了一個新方案。

他説，眼下的局勢，即便霆軍迅速北上，也無濟于事，這道聖旨實在是未經深思熟慮的情急之言。洋人入都，并不在于要推翻朝廷，不過是索取錢財和放開限制而已，最後的結局必定是金帛議和，無傷大局。我們不妨采取拖延的辦法來對付。過兩天上一道奏摺，說鮑超位望不够，請于曾和胡（即湖北巡撫胡林翼）二人中酌派一人率軍北上。估計奏摺到達熱河時，已不再需要湘軍了。

這的確是個好主意，曾國藩立刻接受。果然，朝廷很快便有新的命令下來：和議已成，無須北上。既未違抗聖旨，又沒有影響戰事，兩全其美，這全得力于李鴻章的好點子。老師開始對學生刮目相看了。但不久，師生之間便爆發了衝突。

半年前，曾國藩被授予兩江總督之職。兩江總督的衙門歷來都設在南京，而此刻南京已成了太平天國的都城天京，曾于是將它設置在安徽祁門。祁門四面環山，形如鍋底，衹有一條小河與外界交通，許多人都認爲此處不宜安置指揮部。李鴻章更將它視爲絶地，不可久處。但曾拒不接受大家的意見，固執地將江督衙門安放在這裏，并認爲李等人的反對是因爲膽小怕死。事實上，李也確實不想因此而與老師一道去死。當一些幕僚偷偷離開祁門時，他也在盤算著如何替自己找一條活路。

李鴻章終于找到了一個機會。過些日子，湘軍中一個著名將領李元度丢失了徽州府。城破之後，李元度弃衆逃命，二十多天後纔回祁門向曾國藩禀報戰敗的情況。曾大怒，要幕僚起草奏稿嚴參李元度。李元度雖不會打仗，却文才極好，又很得人緣。衆幕僚都不願意擬參劾稿，公推李鴻章領頭爲李元度說情。曾國藩氣憤地說，你們都不肯寫，我自己來寫。李鴻章說，若這樣的話，學生在此已無用途，請老師同意學生辭職。曾國藩甩了甩手說，你自便吧！李藉著這句話，當天夜裏便離開了祁門。得知學生走後，曾嘆息了一聲，說『此君難與共患難』！

這對師生的第一次軍事合作，便這樣以不愉快的結局分手了。

對李說：「少荃，既入我幕，我有言相告：此處所尚，惟一『誠』字而已。」說罷拂袖而去。

這次談話，對李鴻章的震動很大，[illegible]他的自由散漫的習氣[illegible]。

從此以後，李收斂了許多。他對[illegible]各方面更[illegible]，李在[illegible]

辦事的同時，自己也得到很大的歷練，[illegible]

大忙。同時，也使他在[illegible]的政治前途。

試。費十年八月，[illegible]

自己[illegible]

一直北上救援，[illegible]

國藩不想靠它籌餉與太平軍交手的時候，但聖命又不可違。曾國藩集幕僚們商討此事，大多數

幕僚主張服從命令派軍北上勤王，也有少部分人認爲不能在外君命有所不受，暫時不動。

幾天。時屬李鴻章一人提出了一個新方案。

他說，眼下的局勢，所需要的不是軍隊，[illegible]

情急之言，並非人人都能[illegible]

必定是全局潰敗，[illegible]

但是不久，清廷同意了（即由勝保北上）二人中的一人率軍北上，[illegible]

已不再需要南軍了。

今月孤燈

卷二　解讀曾國藩　唐浩明讀史隨筆集

二二七

這[illegible]

兼通北上，[illegible]

聞[illegible]

半[illegible]

成了太平天國的[illegible]

從[illegible]

但曾[illegible]

的死。事實上，[illegible]

道算著如何替自己找一條活路。

李鴻章終於找到了一個機會。過些日子，湘軍中一個著名將領李元度丟失了徽州府，爲

之後，李元度卒以兵敗棄城逃命，二十多天後才回祁門向曾國藩稟報兵敗的情況。曾大怒，要嚴

起草奏摺嚴參李元度。李元度雖不會打仗，但文才極好，又很得人緣。幕僚們都不願意擬參

劾。公推李鴻章領頭爲李元度說情。曾國藩氣憤地說：「你們都不寫，我自己來寫。」李鴻

章說：「若這樣的話，學生在此已無用，請允許回南昌去。」曾國藩甩了手說：「你自便吧！」

李藉著這句話，當天夜裏便離開了祁門。得知學生走後，曾嘆息一聲，說：「此君難與共患難。」

這對師生的第一次軍事合作，便這樣以不愉快的結局分手了。

李鴻章離開曾國藩的這一舉措，受到包括其大哥在内的許多好友的批評。他的會試同年郭嵩燾明確向他指出：當今天下，除開曾之外，再也没有合適的依靠者，若要成就功業的話，非投曾不可。李鴻章滯留江西多時，也始終未能找到更合適的地方，心中不免後悔起來。

與此同時，胡林翼、郭嵩燾等人也勸曾寬諒李鴻章的過錯，爲平亂大業而惜人才。同時，也委婉批評曾不宜株守祁門。曾的九弟國荃則更是情辭懇切地請他從祁門走出來。曾終于接受大家的意見，將指揮部從祁門搬到長江邊的東流，又親筆致書李鴻章：『鄙人遍身熱毒，内外交病，諸事廢擱，不奏事者五十日矣。如無穆生醴酒之嫌，則請台旆速來相助爲理。』李接到這封信後，心中頗爲感動，即刻動身，兼程趕到東流。分别九個月後，這對師生重新携手共事。

李鴻章雖因膽怯而離開，但他不同意將江督衙門設在祁門的觀點是對的；同時，李離開後也并未去投奔别人。一向愛才惜才且又最痛恨背叛他而效力他人的曾國藩，因爲此不計較學生的前嫌，反倒對之更加青睞，于軍務政治悉心予以栽培，希望學生能早日成長爲大材。

也是時勢造就英雄，很快，一個絶大的機遇降臨到李鴻章的頭上。太平軍在丢掉安慶城後，轉而集中兵力攻打浙江，力圖將浙江變爲一塊天國的鞏固疆土。在連克金華、紹興、寧波及省垣杭州後，兵鋒直逼上海。此時的上海，已成了中國最大的中外交易碼頭，洋商和華商在這裏屯集著數不清的財富。他們擔心這批財富落到太平軍的手裏，便托一個名叫錢鼎銘的刑部主事，前往兩江總督衙門所在地安慶去見曾國藩，求他出兵救上海。

上海不僅是朝廷的金庫，也是湘軍餉銀的一個主要供應站，曾國藩自然不願意太平軍將它搶去。他在同意出救兵之時，第一個想到的帶兵人選是他的九弟國荃。但是，剛剛打下安慶正在原籍休假的曾老九却不樂意去上海，他眼睛盯著的是南京，打下南京纔是建天下第一戰功。他擔心在他救上海的時候，這第一功被别人搶去。曾老九兩次三番的拒絶，給李鴻章造就了一個很好的契機。李志大才高，并不甘心長期住幕府充當一個筆杆子，他渴望自己能獨領一軍獨當一面成就一番大事業。現在，機遇終于來了，他向老師主動請纓。在曾國藩的心目中，李也正是他在九弟之後的第二人選，于是滿口答應，并叫李立即回安徽招募勇丁，編練成軍。

在安徽募勇，固然是爲了讓李擁有一支救援上海的軍隊，但同時也是曾的一個宿願。早在就任江督之初，曾便慮及到湘軍成軍已久，暮氣日深，往後，離家愈遠，軍心更易涣散；而淮徐自古來民風强悍，兵源充足，在蘇皖一帶用兵，宜用淮徐之勇。眼下，正好趁此良機將這一設想實現，而這位有四個弟弟在家辦團練、本人又在兩淮打仗多年的安徽學生，自是這支軍隊的最好頭領。

李鴻章欣然領命，帶著上海紳商所提供的豐厚餉銀，短短的三個月便招募四千人馬，一律按湘軍營規予以編練。曾國藩又將另外的兩千多名老兵編入這支新軍中，以便提高它的戰鬥力。這支六千多人的新部隊被人稱之爲淮軍。如今的李鴻章，再不是一個没有實權實力的秘書了，

他已經擁有一支規模不小的武裝力量，他就要仗著它去封侯拜相青史留名，實現二十歲時便立下的『著史』『封侯』的宏大理想。

就在同意由李鴻章回籍募勇的時候，一個決定已在曾國藩的腦中形成：應將這個剛四十歲又有識有才的學生，當作事業的接班人來培養。他給朝廷上奏：李『勁氣內斂，才大心細，若蒙聖恩，將該員擢署江蘇巡撫，臣再撥給陸軍，便可馳赴下游，保衛一方』。

現在，望著李鴻章和他的六千淮軍，乘著用十八萬兩銀子雇來的六艘洋輪，浩浩蕩蕩朝著長江下游鼓浪而去的壯觀場面，曾國藩清醒地意識到：學生已經羽翼豐滿，他就要衝向藍天，展翅翱翔了！

李鴻章抵達上海後的第十七天，便接到朝廷任命他爲署理江蘇巡撫的命令，七個月後，又實授蘇撫。對于恩師的著意栽培，李牢記不忘，他情動于衷地對老師說：『此皆由我中堂夫子積年訓植隨事裁成，俾治軍臨政、修己治人，得以稍有塗轍，不速顛覆……實不知何以爲報。』

李鴻章也的確不負老師所望。他充分利用上海的財富和外洋碼頭的優勢，大量購買洋槍洋炮，高價雇請外國軍事教官，很快便將淮軍裝備爲當時武器最爲精良的一支軍隊。他也不忌諱輿情的指責，跟美國人華爾、英國人戈登所指揮的常勝軍合作打仗，短短的一兩年裏，淮軍連克常熟、蘇州、常州等蘇南重鎮，軍威大振，與活動在浙江的左宗棠楚軍一道，成爲繼湘軍之後的兩支戰鬥力極强的部隊。李的淮軍不僅爲朝廷保守上海收復蘇南立了大功，也因爲掃清了太平天國的後院，使天京成爲一座孤城而極大地支援了曾老九。

曾老九率領吉字營圍攻南京已經兩年了，儘管別人爲他清除了四方障礙，但這座孤城就是久攻不下，『天下第一功』可望而難及。這時，有人建議調李鴻章的淮軍來寧會合攻城，因爲淮軍有西洋大炮，應當用洋炮來轟倒城墻，而曾老九用挖地道轟墻的做法是不對的。不料，這一動議讓李與他的老師，尤其與老師的九弟留下了長久不能撫平的嫌隙。

曾老九是個强梁霸道的人。在他看來，打南京這樁事衹能由他承包，別人不能過問，更不能插手。誰若不識好歹，敢打這樁事的主意，誰就是他的對頭。野史上記載，當得知李有可能來南京時，曾老九以煽動的口吻對部下説：我們辛苦了兩年，現在有人要來搶功了，你們答應嗎？部屬們一致表示不答應。有人甚至説，他李老二敢來，我們先在城外擺開戰場，與他比一比高低。

李鴻章獲知後，忙致信老師，説盛暑天西洋大炮藥炸不響，淮軍不能來南京了。若説冬春天氣陰雨炸藥有可能受潮而炸不響，還可以説得過去，盛暑天氣燥熱，正是好用炸藥的時候。李有多少藉口可找，却偏偏找了這樣一個連小兒都能識破的理由，這不明明在戲弄老師嗎？果然，曾氏兄弟對李此舉甚爲不滿。

曾氏兄弟的機要秘書趙烈文寫了一部《能静居日記》，在同治三年五月三十日的日記中有這樣一段話：『少帥前致中丞信，力言不來，黄昌岐軍門至皖爲之游説，則告中堂以蘇軍

炮隊之利及口糧亦止半關，無貧富相耀之慮，并言但得中堂一紙書，即無不來。其五月十八日奏片則又明指中丞有信，不須其來。而十八、九日間中旨，忽云飭令李鴻章不分畛域不避嫌怨，迅速會剿之語，則京都權要處必先有信，言此間不願其來。此一事而機械百出，語言處處不同。其圖望大功日夜計算，心計之工細入毫芒。」

這段日記説，李前已致信給曾老九，説他不來；後又托黄昌岐去安慶爲他游説，説衹要曾國藩召唤他，他就一定去南京，再後又在奏摺中明確講曾老九不讓他去南京，而這期間朝廷又命他立即去南京會剿，顯然，李已致信京城裏的權要，説是曾氏兄弟不願意他去南京。李鴻章在這件事上前前後後的表現，足以説明他是一個工于心計的人。

趙烈文當時正在曾老九身邊，并與曾國藩保持著每天都互通情報的聯繫。可見，趙對李的指責，其實就是曾氏兄弟對李的議論。

這樁事一直讓曾老九耿耿于懷，并在一段很長的時間裏對李印象極壞，以至于我們可以從曾氏後期家信中，常讀到曾氏勸老九對李要不計前嫌，多看其長處的文字。到了晚年，面對著李氏家族勃然興起的局面，他甚至對老九説出要將『湘淮兩軍、曾李兩家聯爲一氣』的話來。

南京打下後，朝廷論功行賞，曾國藩封侯，曾老九與李鴻章等人封伯。到這個時候，這對師生的社會地位已相差不大了。

後來，曾國藩對捻作戰無功，李鴻章接辦其事，衹一年多工夫便將東捻撲滅。第二年又

與左宗棠合作，將西捻平息。李因爲此而受封侯爵，加太子太保銜，升協辦大學士，授湖廣總督。此時的學生，已與老師平起平坐、并駕齊驅了。

同治九年，曾國藩因處理天津教案弄得身心交瘁，不能卒事，朝廷再次調李鴻章處理老師未竟事宜。李鴻章大刀闊斧，不畏人言，將天津教案强行了結。此刻的學生，無論在心理承受力還是對世事的洞察力及辦事的能力等方面，都已明顯超過乃師，可謂已實現了乃師當年『青出于藍而勝于藍』的預言。

天津教案給衰朽殘年的曾國藩雪上加霜，一年多後，他便病逝于南京兩江總督任上。遠在保定府做直隸總督兼北洋大臣的李鴻章給老師的靈堂送來一副挽聯，道是：『師事近四十年，薪盡火傳，築室忝爲門生長；威名震九萬里，安内攘外，曠世難逢天下才。』

從道光二十三年李正式拜在曾的門下算起，不過三十年，挽聯説『近四十年』，大概是上溯到李父與曾同中進士的道光十八年。這樣算來，『近四十年』也勉强説得過去。

晚清政壇上的這一對杰出師生的交誼，便因老師的去世而結束。回顧曾、李之間這段過往烟雲，頗讓後人平添幾分歷史況味。

曾國藩是個很有頭腦的政治人物，他在事功活動中，十分注重『替手』的物色和培養。他在給九弟的信中説過：『辦大事者，以多選替手爲第一義。滿意之選不可得，姑節取其次，以待徐徐教育可也。』

地淮之利權本止半關，無貧富相離之隱，并言伯相中堂一紙書，即無不來。其五月十八日奏片則又明指中丞有信，不須兵來，而十八、九日間中丞忽令李鴻章[illegible]，恐不遑無路。迅速會剿之語，則京師諸權要處必先有信。言此間不願其來，此一事而議論紛出，謠言遠播不同。其圖望大功日夜計算，心計之工[illegible]。（一）

這段日記說，李前已致信給曾老九，說他不來。後又托黃昌歧去安慶爲淮將游說，說舫安。曾國藩召喚他，他說一定去南京。再後又在奏摺中明講曾老九不讓他去南京，而言明朝廷又命他立即去南京會剿。繼而李已致信京城要人，說是曾氏兄弟不願意他去南京。李鴻章在這件事上前後的表現，足以說明他是一個工于心計的人。趙烈文當時正在曾國藩身邊，并與曾國藩保持著大部分互通情報的默契。可見，曾國荃對李的指責，其實就是曾氏兄弟對李的議論。

這一事，一直讓曾老九耿耿于懷，并在一段很長的時間裏對李十分不滿。以至于後面可以從曾氏的家書中，常常讀到曾國藩勸老九要不計前嫌，多看其長處的文字。到了晚年，面對著李氏家族勃然興起的局面，他甚至對曾國荃說出「淮軍、湘軍兩家聯爲一家」的話來。

南京打下後，朝廷論功行賞，曾國藩封侯，曾國荃、李鴻章二人封伯。到這個時候，[illegible]的社會地位已經差不大了。

後來，曾國藩討捻無功，李鴻章接其事，僅一年多工夫便將東捻撲滅，第二年又與左宗棠合作，將西捻平息。李因此而獲授協辦大學士，加太子太保銜，并授湖廣總督。

此時的學生，已與老師平起平坐，并駕齊驅了。

同治九年，曾國藩因處理天津教案，身心交瘁，不能視事，朝廷再次調李鴻章處理老師未竟事宜。李鴻章大力關說，不畏人言，將天津教案迅速了結。此刻的學生，無論在心理承受力還是在處理事務的能力方面，都已明顯超過乃師，可謂已實現了乃師當年「青出于藍而勝于藍」的預言。

天津教案給曾國藩的政治生涯上[illegible]。一年後，他再回南京兩江總督任。這時在保定府任直隸總督兼北洋大臣的李鴻章，給老師的靈堂送來一副輓聯：

師事近三十年，薪盡火傳，築室忝爲門下士；

威名震九萬里，內安外攘，曠世難逢天下才。

[illegible]

晚清官場上的一對杰出的師生交誼，便因老師的去世而結束。回顧曾、李之間這段過往，[illegible]

曾國藩是個很有頭腦的政治人物，他在事功活動中，十分注重「替手」的遴選和培養。他在給九弟的信中說過：「辦大事者，以多選替手爲第一義。滿意之選不可得，姑節取其次，以待徐徐教育可也。」（一）

「替手」可以是部分替代自己的人，也可以是能全盤替代自己的人。當選定李鴻章招募淮軍又保舉他爲江蘇巡撫的時候，曾國藩顯然是把李當作第二義中的替手，即我們通常所説的接班人來看待。但李不是他的「滿意之選」。祁門時期的「不可共患難」與打南京一事的機心重重，毫無疑問都在曾國藩的心上留著陰影。除開這些外，李的貪財也讓曾很不滿意。同治三年三月十二日，曾給九弟的信中説：「少荃近日與余兄弟音信極希，其名聲亦少減。有自滬來者，言其署中藏珍珠燈、八寶床、翡翠菜碗之類，值數十萬金，其弟季荃好貨尤甚等語，亦非所宜。」

此外，曾、李二人在性格上也有很大的差异。曾爲人謹慎拘泥，李則圓滑開張。《庚子西狩叢談》中記録了李鴻章對吴永説的一席話：

從前我老師從北洋調到南洋，我來接替北洋，當然要去拜謁請教的。老師見面之後，不待開口，就先向我問話道：「少荃，你現在到了此地，是外交第一衝要的關鍵。我今國勢消弱，外人方協以謀我，小有錯誤，即貽害大局。你與洋人交涉，打算作何主意呢？」我道：「門生祇是爲此特來求教。」老師説：「你既來此，當然必有主意，且先説與我聽。」我道：「門生也没有打什麼主意。我想，與洋人交涉，不管什麼，我祇同他打痞子腔。」老師乃以五指捋鬚，良久不語，徐徐啓口曰：「呵，痞子腔，痞子腔，我不懂得如何打法，你試打與我聽聽？」我想不對，這話老師一定不以爲然，急忙改口曰：「門生信口胡説，錯了，還求老師指教。」他又捋鬚不已，久久始以目視我曰：「依我看來，還是用一個誠字，誠能動物，我想洋人亦同此人情。聖人言忠信可行于蠻貊，這斷不會錯的。我現在既没有實在力量，盡你如何虚強造作，他是看得明明白白，都是不中用的。不如老老實實，推誠相見，與他平情説理；雖不能占到便宜，也或不至于過于吃虧。無論如何，我的信用身份，總是站得住的。脚踏實地，蹉跌亦不至過遠，想來比痞子腔總靠得住一點。」我碰了這釘子，受了這一番教訓，臉上著實下不去。然回心細想，我老師的話實在有理，是顛撲不破的。我心中頓然有了把握，急忙應聲曰：「是是，門生準遵奉老師訓示辦理。」

學生的油滑，老師的迂拙，通過這段實録生動地展現在我們的面前。李鴻章在他日後長期的外交活動中，自然是没有按著老師所教的「誠」字去做的；老師在説這番話的時候，面對著已成大氣候的學生，想必也不抱要他全部接受的指望。

晚年的曾國藩，出于對李鴻章德行操守的不滿，加上利害關係上的衝突，對這個自己親手選定的全方位「替手」頗有相當的遺憾，這可從他們兄弟往來的私函中看出。同治五年十月，老九給大哥的信中説：「去、前年少泉尚是寵榮利禄中人，近日見解又少進矣，其計較利害也亦甚深，接辦此席，談何容易。」大哥回信：「弟信云寵榮利禄利害計較甚深，良爲確論。然天下滔滔，當今疆吏中不信倚此等人，更有何人可信可倚？吾近年專以至誠待之，此次亦必以江督讓之。」

學生如今是咄咄逼人，老師不交班也不行了。曾國藩的這種無可奈何之心態，與李鴻章在其身後言必稱『我老師』，組成了一個甚堪玩味的對照。

然而，從歷史角度來看，曾國藩有李鴻章這個學生，實在是他一生的幸運；選定李鴻章爲其事業的接班人，則更是他一生衆多決策中極爲英明的一個。

作爲今人，我們已具備了全面審視前人的有利條件，將曾國藩身邊可能作爲其『替手』的所有人來一番排隊考察，可以得出一個明確的結論：就其綜合能力而言，再没有哪個能超過李鴻章。事實上，在曾的生前，李就已兩次擔負起完成乃師未竟事業的重任；在曾去世後，李執掌晚清軍事、外交大權三十年，他一方面將乃師所開創的軍事團隊做大做强（以淮軍爲基礎的北洋集團在晚清軍界占據著十分重要的地位），同時又將由乃師所揭幕的洋務運動大規模地在全國展開，成爲晚清政治中的重要内容。

除此以外，李對曾還有一個無形而又確實存在的巨大幫助，那就是在李執掌大權的期間，出于各種動機而竭力維護和宣揚乃師的高大形象。歷史上有多少權臣，在其生前與死後所享受的待遇判若雲泥！然曾國藩死後，在一段相當長時間裏的聲譽似乎還要超過生前。這除開曾本身的原因外，也與李三十年權傾天下的經歷極有關係。這一點，曾在生時可能没有料到，否則，或許他就不會説『李少荃拼命做官』的譏諷話了。

梁啓超向曾國藩學什麽

一九一五年四月五日，湖南一師教授楊昌濟與他的得意弟子毛澤東聊天時，談到毛的家世。楊在當天的日記中寫道：『渠之父先亦務農，現業轉販，其弟亦務農，其外家爲湘鄉人，亦農家也，而資質俊秀若此，殊爲難得。余因以農家多出异材，引曾滌生、梁任公之例以勉之。』

這一年，曾國藩（滌生）去世四十三年，梁啓超（任公）也剛好四十三歲初度。將梁與曾氏并列作爲農家子弟中的卓异代表，大概不會始于楊昌濟，但二十二歲的毛澤東，此時很可能是第一次從他所崇敬的師長口裏聽到二人并提的話。

楊昌濟并列曾梁，著眼于同是農家子弟同樣聲名卓著，至于其他方面并没有過多論及，當我們稍稍接觸一些梁的文字後，便可以明顯看出曾梁之間還有另一層關係，即曾氏對梁影響甚爲深遠，或者説，梁刻意向曾氏學習。

梁是廣東人，因地域及由地域而産生的種種隔閡的緣故，他直到二十八歲纔在國外讀到曾氏的書。光緒二十六年春夏間，旅居美國檀香山的梁啓超，在給其師康有爲及朋友的信中，多次談到初讀曾氏家書時的震動：『弟子日間偶觀曾文正公家書，猛然自省，覺得不如彼處甚多。』『弟日來頗自克勵，因偶讀曾文正家書，猛然自省，覺得非學道之人不足以任大事。』

從那以後，梁便將曾氏引爲人生榜樣。直到晚年，其對曾氏的景仰之情依舊不改。他對

從那以後，梁便將曾氏引為人生楷模，直到晚年，其對曾氏的景仰之情依舊不改。他甚多。一[illegible]日本[illegible]，因讀曾文正家書，猛然自省，覺得非學道之人不足以任大事，多次談到讀曾氏家書的感動：「弟子日間偶讀曾文正公家書，猛然自省，覺得不如[illegible]曾氏的書。光緒二十六年春夏間，旅居美國檀香山的梁啓超在給其師康有為的信中，[illegible]梁是廣東人，因地域及由地域而產生的隔閡的緣故，他直到二十八歲[illegible]響甚為深遠。史者說，梁刻意向曾氏學習。

當我們細讀梁的文字後，但可以明顯看出曾梁之間還有另一層關係：同是農家子弟，同樣寫家書。至於其[illegible]可能是第一次把他所崇敬的[illegible]曾乃并列作為農家子弟中的卓卓代表，[illegible]這一年，曾國藩（注三）去世四十三年，梁啓超（注）也[illegible]農家世，而資質[illegible]，余因以書多與出身草材，且曾[illegible]據在[illegible]的日記中寫道：[illegible]一八二五年四月五日，[illegible]

梁啓超向曾國藩學什麼

冷月孤燈　卷一　讀曾國藩

唐浩明讀史隨筆集

二三八

否則，或許他就不會說一本[illegible]的讚語了。

曾本身的原因外，也與二十年前後天下的形勢有關係。這一點，曾在生時可能沒有料到。

[illegible]在一段時間內，當時輿論對李鴻章的評價似乎要遠超過他生前。這種[illegible]出于各種動機而對其大加讚譽者[illegible]，在[illegible]其生前與死後，所享[illegible]

除此以外，李對曾還有一個[illegible]，那就是在李執掌大權的期間，就[illegible]在全國範圍內，成為晚清政治中的重要內容。

[illegible]集團在與清軍[illegible]十分重要的[illegible]運動，同時又將由乃師所開創的洋務運動大[illegible]李成為晚清軍事、外交大權二十年。他一方面將乃師所開創的軍事團隊做大做強（以淮軍為[illegible]），[illegible]過李鴻章。事實上，在曾的生前，李就已兩次擔負起乃師未竟事業的重任。在曾去世後，[illegible]的所有人來一番排隊，若就綜合能力而言，再沒有哪個能超[illegible]作為今人，我們已具備了全面審視前人的各種條件，將曾國藩身邊可能作為其一手[illegible]其事業的接班人，則更是他一生主要事業中極為突出的一個。

然而，從歷史角度來看，曾國藩有李鴻章這個學生，實在是他一生的幸運。這話一點不[illegible]在其身後[illegible]，組成了一個非常完美的對照。

學生如今已是[illegible]，各[illegible]不文[illegible]也不[illegible]，曾國藩的[illegible]之心態，與李鴻章

人説：『假定曾文正、胡文忠遲死數十年，也許他們的成功是永久的。』

梁啓超爲什麼會如此推崇曾氏？他在曾氏身上學到些什麼呢？一九一六年，梁在政務著述异常繁忙之際做了一樁大事，即從曾氏全集中摘抄部分語録，彙輯成一部《曾文正公嘉言鈔》，并爲之作了一篇序言。從梁的這篇序文和他所選語録中，可以清晰地看出他對曾氏的認同之處。

梁認爲，曾氏不僅是有史以來不多見的大人物，也是全世界不多見的大人物，而這個大人物，并没有超倫絶俗的天才，反而在當時的名人中最爲魯鈍笨拙。那麼是什麼使得曾氏能立德立功立言三不朽呢？梁説曾氏的『一生得力在立志自拔于流俗』。他自己首先在這一點上著意向曾氏學習。

曾氏初進京時刻苦研習程朱之學，并身體力行，要做一個無愧天地父母所生的人，同時對自己身心各方面提出嚴格要求，且撰《五箴》即立志箴、居敬箴、主静箴、謹言箴、有恒箴以自警。梁也『以五事自課：一曰克己，二曰誠意，三曰立敬，四曰習勞，五曰有恒』，并效法曾氏以日記作爲督察的方式：『近設日記，以曾文正之法，凡身過、口過、意過皆記之。』

人的一生最難做到的是『恒』字。曾氏以梁所謂的鈍拙之資成就大事業，靠的就是這個『恒』——數十年如一日的勞心勞力。梁雖天資聰穎，但衹活了五十六歲。自從二十多歲成名後，一生便在忙碌中度過，除大量的政事、教學、社交等占據他許多寶貴的時光外，還要承受動蕩不安的流亡歲月的干擾，而他却留下一千四百萬言的精彩著述，其内容幾乎涉及文史哲的各個領域。如此巨大的成就何以取得？靠的也就是持之以恒的勤奮。他説他『每日起居規則極嚴』，『所著書日必二千言以上』。他的學生説他『治學勤懇，連星期天也有一定日課，不稍休息。他精神飽滿到令人吃驚的程度』。梁的精力充沛或許有天性，但更多的則是出于自律。他在給朋友徐佛蘇的信中説：『湘鄉言精神愈用則愈出，此誠名言，弟體驗而益信之。』湘鄉即曾氏。曾氏所説的這句話，見于咸豐八年四月初九給他九弟的信。梁不僅將這話記于心付于行，而且又將它抄下來，編于《嘉言鈔》中，提供給天下有志于事業者。

從梁所輯録的這部《嘉言鈔》中，我們看到梁大量摘抄曾氏關于立志、關于恒常、關于勤勉、關于頑强堅毅方面的嘉言，足見梁對曾氏這些方面見解的看重。隨著這部《嘉言鈔》的問世，也可以讓更多的讀者看到曾氏當年『受之以虚，將之以勤，植之以剛，貞之以恒，帥之以誠，勇猛精進，堅苦卓絶』的具體做法，在一段鮮活的歷史過程中，得到對當下生存的啓示。

作爲近世一位卓越的政治活動家，梁更看重學問的經世致用。他在序文中説：『夫人生數十寒暑，受其群之蔭以獲自存，則于其群豈能不思所報？報之則必有事焉，非曰逃虚守静而即可告無罪也明矣。』以自己所做的實事來報答社會，這是梁啓超的人生選擇。接下來，他談到自己從政二十年來的重要體會：既要做事，『于是乎不能不日與外境相接構，且既思以己之所信易天下，則行且終其身以轉戰于此濁世，若何而後能磨練其身心，以自立于不敗？

若何而後能遇事物泛應曲當，無所撓枉？天下最大之學問，殆無以過此』。梁的意思是，要做事，便得與濁世打交道，在此濁世中如何讓自己的身心得到磨煉，從而立于不敗之地；如何能很好地應付方方面面，不至于受挫受阻。這就是人世間的最大學問。他認定曾氏便是這樣一個擁有最大學問的人。

曾氏是近代湖湘文化的典型代表。湖湘文化最突出的特色是注重經世致用。過去都説曾氏是理學家。其實，他對理學的學理并没有大的推進，他的貢獻是在實踐上。在如何將理學用之于身心修煉及事業建立這方面，曾氏是一個成功的踐履者。曾氏以中國學問爲教材，不僅儘可能地完善了自我健全的人格，而且成就了一番事功，并因此改變近代中國歷史走嚮，這就是所謂的『内聖外王』。除此之外，在平時生活中，他也是一個好兒子、好兄長、好父親、好丈夫、好朋友。曾氏認爲，人生的『絶大學問即在家庭日用之間』。在這一點上，曾氏與梁啓超的看法完全一致。于是，我們在這部《嘉言鈔》裏，可以看到曾氏是如何修身的，又是如何辦事的。這事情中既有掀天揭地的軍國大事，也有木頭竹屑的零碎小事。梁啓超説曾氏『所言，字字皆得之閲歷而切于實際，故其親切有味，資吾儕當前之受用』。既親切，又實用，這就是當年梁讀曾氏文字的感受。

此外，我們讀《嘉言鈔》時還有一個强烈感覺，即梁特別注重曾氏對當時墮落風氣的譴責以及對扭轉時風的自我期待與擔當。梁不惜反復摘抄曾氏在不同時期對不同人説的有關言論，于此不僅能看出梁對曾氏這些議論的認可，還可感受到梁本人對移風易俗改造社會的責任感。

這一點，或許正是這兩位歷史巨人最大的心靈相通之處。

梁在《説國風》一文中説：『吾聞諸曾文正公之言矣，曰「先王之治天下，使賢者皆當路在勢，其風民也皆以義，故道一而俗同。世教既衰，所謂一二人者不盡在位，彼其心之所嚮，勢不能不騰爲口説而播爲聲氣，而衆人者，勢不能不聽命而蒸爲習尚，于是乎徒黨蔚起，而一時之人才出焉」……夫衆人之往往聽命于一二人，蓋有之矣，而文正獨謂其勢不能不聽者何也？夫君子道長，則小人必不見容而無以自存，雖欲不勉爲君子焉而不可得也；小人道長，則君子亦必不見容而無以自存，雖欲不比諸小人而不可得也。』

顯然，梁是在引曾氏之説來爲自己的文章立論。曾氏認爲，處在衆望所歸之地位的一二人，對一時的社會風氣是負有引領之責的，而風氣一旦形成，便又會影響各個層面上的人，從而形成强大的社會力量。曾氏一向是以『一二人』自期的，作爲名滿天下的維新派領袖，梁又何嘗不隱然以『一二人』自許呢？在這一點上曾梁之間可謂惺惺相惜。

『一二人』靠什麽來扭轉風氣呢？理學家曾氏是主張以道德的力量來轉移社會的，即先做到自我道德完善，再以此來感化身邊人及屬下，然後再靠他們去影響更大的群衆面。對此，曾氏有過表述：『天之生斯人也，上智者不常，下愚者亦不常，擾擾萬衆，大率皆中材耳。中材者，導之東而東，導之西而西，習于善而善，習于惡而惡……由一二人以達于通都，漸流漸廣，

若何而能[illegible]應對得當，兼[illegible]所謂「天下最大之學問，治[illegible]無以過此」一[illegible]便得與這世打交道。在此濁世中如何讓自己的身心得到安頓，從而立于不敗，好地應付方方面面，不至于受挫受阻。這就是人世間的最大學問。曾氏認定[illegible]稱有最大學問的人。

曾氏是近代湖湘文化的典型代表。湖湘文化最突出的特色是注重經世致用。曾氏是理學家。其實，他對理學的學理并沒有大的推進，他的貢獻是在實[illegible]用之于身心修煉及事業建立這方面。曾氏是一個成功的踐履者。[illegible]不僅盡可能地完善了自我健全的人格，而且成就了一番事功，并因此改變近代中國歷史之走向。這就是所謂的「內聖外王」。除此之外，在平時生活中，他也是一個好兒子，好父親，好丈夫，好朋友。曾氏說過：「人生的一大學問即在家庭日用之間。」在這一點上，曾氏與梁啟超的看法完全一致。于是，我們從這部《嘉言鈔》裏，可以看到曾[illegible]又是如何辦事的。這裏面既有大的軍國大事，也有小的家庭瑣事。梁啟[illegible]曾氏所言，字字皆從閱歷而來，切于實際，故其親切有味，資吾儕當前之[illegible]文實用。這就是當年梁讀曾氏文字的感受。

此外，我們讀《嘉言鈔》時，還有一種強烈感覺，即梁特別注重曾氏[illegible]以及對社會風氣的自覺與扶持。曾氏在不同時期對不同人說的有關言論，[illegible]于此不僅能看出梁對曾氏這種議論的高度認同，更可感受到梁本人對移風易俗改[illegible]這一點，或許正是這兩位歷史巨人最大的心靈相通之處。

梁在《說國風》一文中說：「吾聞諸曾文正公之言矣，曰：『先王之治天下，使賢者皆當路在勢，其風民也皆以義，故道一而俗同。世教既衰，所謂一二人者不盡在位，彼其心之所嚮，勢不能不騰為口說而播為聲氣；而眾人者，勢不能不聽命而蒸為習尚，于是乎徒黨蔚起，而一時之人才出焉。』……夫眾人之往往聽命于一二人，蓋有之矣，而文正所謂[illegible]何也？夫是之謂風。則小人必不足以自存，雖欲不勉為君子而不可[illegible]明君子亦不必足容而無以自存，雖欲不比從小人而不可得也。」

顯然，梁在引曾氏之說來為自己的文章立論。曾氏認為，處在眾望所歸[illegible]一時的社會風氣負有引領之責的，而風氣一旦形成，便又會影響各個層面，形成強大的社會力量。曾氏以「一二人」自期，作為扭轉天下的[illegible]何嘗不隱然以「一二人」自許呢？在這一點上，曾梁之間可謂惺惺相惜。

「一二人」靠什麼來扭轉風氣呢？曾梁的主張是以道德的力量來轉[illegible]到自我完善，再以此來感化身邊的人，然後再通過他們影響更大的[illegible]曾氏有過表述：[illegible]

[illegible]導之東而東，導之西而西，習于善而善，習于惡而惡……由一二人以至于[illegible]

而成風俗。風之爲物，控之若無有，鰌之若易靡，及其既成，發大木，拔大屋，一動而萬里應，窮天下之力而莫之能禦。』

革新家梁啓超對曾氏這種以德化人的理念甚爲贊賞。臨去世的前兩年，他曾與清華國學研究院的學生們，有過一次懇切的長談。他説：『現在時事糟到這樣，難道是缺乏知識才能的緣故麽？老實説，什麽壞事不是知識才能分子做出來的？現在一般人根本就不相信道德的存在，而且想把它留下的殘餘根本去鏟除。我們一回頭看數十年前曾文正公那般人的修養。他們看見當時的社會也壞極了，他們一面自己嚴厲的約束自己，不跟惡社會跑，而同時就以這一點來朋友間互相勉勵，天天這樣琢磨著，可以從他們往來的書札中考見……他們就祇用這些普通話來訓練自己，不怕難，不偷巧，最先從自己做起，立個標準，擴充下去，漸次聲應氣求，擴充到一般朋友，久而久之便造成一種風氣，到時局不可收拾的時候，就祇好讓他們這般人出來收拾了。所以曾、胡、江、羅一般書呆子，居然被他們做了這偉大的事業。』

梁早年係維新變法派，後來轉爲共和制度的堅定擁護者，對于張勛復辟清王朝的做法持堅決反對的態度，而曾氏則是徹底的大清王朝的保皇派。在某些人看來，梁不應學曾氏而要咒罵他纔對。其實，人類文化中的精粹是從來不受政治觀念和時空限制的，梁所看重的那些曾氏嘉言，正是屬于人類文化精粹的部分。梁説曾氏是『盡人皆可學焉而至』的，他自己學習而有成效，于是想讓大家都來學習，遂在百忙中抽空編了這本《嘉言鈔》。梁認爲他所編的這部書，對于中國人來説，好比穿衣吃飯一樣的不可一刻離開。筆者也一向認爲曾氏可學而至，且有感于『布帛菽粟』這句話，遂在評點曾氏的家書、奏摺之後，不嫌一而再、再而三的麻煩，又來評點一番梁所輯録的這部《曾文正公嘉言鈔》，無非是想讓梁啓超的意願在二十一世紀的讀者中得到更好的實現。

一個負載沉重的生命

曾國藩在生時便有『中興名臣』之稱。他死前的兩年，也就是他六十歲生日的時候，年輕的同治皇帝賜他『勛高柱石』的匾額。這可視爲官方對他一生事功的評價。他死後三十多年，社會對他的評價突起變化，罵他爲滿虜的忠實奴才、漢人的不肖子孫，到後來更將他釘死在『漢奸賣國賊劊子手』的恥辱柱上。一個人的生前死後，其角色定位懸殊如此之大，在中國歷史上極爲罕見。他究竟是個什麼樣的人，在中國近代史上究竟應將他歸于哪個類型呢？這些年來，史學家發表了許多很好的意見。作爲立足于人本的作家，我則認爲，他應是中國五千年文明史上少見的一個負載沉重的生命。

曾氏一生做了許多事。在京師做官時，他以禮部侍郎的身份兼任過刑、兵、工、吏四部的侍郎。中央六個部，他做過其中五個部的副部長，最多時一身兼顧三部，後來回湖南創辦湘軍。湘軍是國家正規軍事體系外的民兵組織，政府既不給糧餉，又不配備幹部，一切都要靠他這個團練大臣自己來苦心籌措。朝廷對湘軍的期待也衹是保境安民而已，但曾氏偏偏要把它做大做强。在正規部隊的嫉妒和打壓中，他咬緊牙關訓練出水陸兩軍萬餘人馬。打下武漢後又主動請纓，作出三路人馬沿江東下直衝南京的部署，爲湘軍争來國家主力部隊纔能得到的項目。無論湘軍當時的實力，以及他本人的地位、資望、軍事才幹，都遠不足以承擔起如此重的負荷。

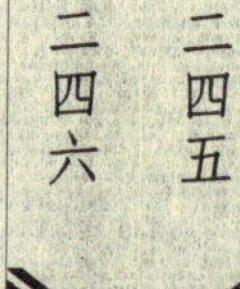

果然，他爲此拼搏了十餘年，付出了常人難以想象的代價。

南京打下後他已衰疲不堪，但還是硬著頭皮接受打捻軍的任務，與捻軍轉戰兩三年，弄得身心交瘁，無功而返。同治九年天津教案爆發時，身爲直隸總督的曾氏已請病假在家休養。處理教案是樁很棘手的事，不管怎樣辦，都難以有好的結果。對此曾氏是清楚的。既然在養病期間，完全可以名正言順地將這個燙手芋頭扔給別人，但爲大局著想，曾氏還是力疾上路，臨出門前將預先寫好的遺囑交給兩個兒子。這表明他已做好不生還的準備。

如果說做官打仗處理教案，都還是他的本職，不容推脱的話，那麼辦洋務就絶對是分外之事了。道光二十年，魏源曾提出過『師夷長技以制夷』的設想，但二十年過去了，誰也没有想到要把這個設想付諸現實。咸豐十年，曾國藩鄭重其事地向朝廷建議：中國人應該自己來造機器輪船洋槍洋炮，此舉『可期永遠之利』。皇帝旨准。于是，他在安慶辦起中國第一家兵工廠，又給容閎六萬八千兩銀子去美國買母機——造機器的機器，以後便有了江南製造局。『辦洋務』這個詞組，從此便出現在中國人的文書和口語中。曾氏爲此事耗費了不少心血。他爲中國人造的第一艘蒸汽輪船命名，又親自坐著它從南京到采石磯，實地考查其性能。他重金禮聘當時第一流的科技專家徐壽、李善蘭、華蘅芳等人充當技師，又和李鴻章一道提出一個創議：由政府資助一批少年出國留學，學成後回國效力。直到死前的一個多月，他還抱病專程到上海視察江南製造局，接見在那裏工作的外國專家傅蘭雅、史蒂文生等人。

曾國藩在生時候，有「中興名臣」之稱。他死前的兩年，也就是距今六十餘年的時候，年輕的同治帝……的頭銜。……但他死後……社會對他的評價突生變化，說他是滿清的忠實奴才，漢人的不肖子孫，到後來更將他打成「漢奸賣國賊」、「劊子手」……。一個人的生前死後，其角色定位……如此之大，在中國歷史上極為罕見。他究竟是個什麼樣的人，在中國近代史上究竟應該如何評價？這近百年來，史學家發表了許多很有意思的意見。作為一個立足於人本的作家，我則認為：他是中國五千年文明史上少見的一個負載沉重的生命。

曾氏一生做了許多事。在京師做官時，他以禮部侍郎的身分兼署過兵、工、刑、吏四部的侍郎。中央六個部，他做過五個部的副部長……湘軍是國家正規軍事體系外的民兵組織……

冷月孤燈

卷一

……

除這些實際事務外，曾氏還爲後人留下了一千五百萬的文字。這些文字除奏稿和書信中有一部分是幕僚代筆外，其他的都是他親手所寫。他的散文創作成就很大。在桐城文派日漸式微的時候，曾氏和他的弟子們在文壇上异軍突起，以陽剛勁健的文風創立獨具特色的湘鄉文派。令人感佩的是，他一生寫了一千四百多封給父母子弟的家書，即便在軍情危急性命堪虞之時，也没有忘記自己應盡的人倫之責。他還寫了近兩百萬字的日記。無論多麽繁忙，他都堅持這一日課，從不懈怠。直到去世的當天，還寫下了幾句話。僅這兩件事，便不是一般人所可及的。

除此外，他還編有《經史百家雜鈔》《十八家詩鈔》兩本書。他的選編不是炒別人的現飯，而是自己通讀原著，從中一篇篇一首首地挑選出來。由于選編精當，這兩部書在清末民初甚爲文人所看重。在讀書求學著述等方面，他對自己有很高的期待。他終生手不釋卷。赴任途中，他在顛簸的轎中讀書；行軍途中，他在逼仄的船艙中讀書；雙眼基本失明後，不能讀了，他便默誦詩文。他曾計劃編一本明代文選，也有志于寫一部曾氏家訓，皆因宦務繁忙、戎馬倥傯而未果。到了晚年，他已出將入相，仍爲自己在學問及文章寫作上未能超過何紹基、梅曾亮等人而遺憾，并自信若有時間，一定會在詩文創作、學術著述上有更大的成就。

事功和學問上的這等努力追求，已經够讓人勞累不堪了，但曾氏還要在心靈和性情上强力束縛自己。早年在京師，他是一個虔誠的理學信徒，有過一段爲時不短的嚴格修身養性的經歷，

要求自己立志、居敬、主静、謹言、有恒，并用日記來自我監督。哪怕有一絲一毫不合規範的言行思想，他都要在當天的日記中記下，且對此痛加責備，甚至不惜咒駡自己。讓我們隨便摘抄一段日記來看看：『昨夜夢人得利，甚覺艷羡，醒後痛自懲責，謂好利之心至形諸夢寐，何以卑鄙若此！』（曾氏全集日記卷『道光二十二年十月初十日』）連夢中的這點『出軌』，都要如此謾駡，自我作對到了何種地步！不過，也虧得有這樣一番近于殘酷的修煉，使他在日後大功告成、大權在握的歲月裏能自覺做到律己甚嚴。據趙烈文在《能静居日記》中記載，曾氏在兩江總督衙門裏的卧室陳設异乎尋常的簡陋：床上鋪的是草席，被子是鄉村土織布，馬甲上打著補釘，布料既差衣又窄小，連當時的寒士都不會穿這種馬甲。床上的蚊帳低矮。屋内衹有一張桌子兩條板凳，放東西的箱子也未上漆。衙門厨房裏没有火腿等高檔菜肴，招待客人的酒也是臨時去零買。趙烈文感嘆：『大清兩百年不可無此總督！』意思是説，曾氏的自奉之薄是有清兩百年來總督中所僅有。豈止是清朝，即便在整個封建王朝中，也難以找出第二個這樣節儉的大員。

曾氏爲什麽要這樣做？爲什麽要在自己的身上背著這等常人難以承受的沉重負載？原來，這是因爲他要做聖賢。他説過，人『不爲聖賢，便爲禽獸』。他的眼中衹有聖賢和禽獸這兩類，把無數有優點也有缺點、有長處也有短處的普通人給排斥掉了。他這種觀念上的絶對，是他自找苦吃的最主要原因。曾氏眼中的聖賢是『三立』完人，即不但要立功立言，

還要立德。這種完人標準實在是太高了，高到不可攀登。試看上下古今的風流人物，能够找到一個嚴格意義上的『三立』完人嗎？曾氏以這種烏托邦式的理想來苛求自己，怪不得一生都在痛苦中。

曾氏還有一個認識上的誤區，那就是太看重個人的榜樣力量，把這種力量估計得太高太重要。他說：『風俗之厚薄奚自乎？自乎一二人之心之所嚮而已……此一二人者之心嚮義，則衆人與之赴義；一二人者之心嚮利，則衆人與之赴利。』（曾氏全集詩文卷《原材》）地位和成就，使得他將自己列入這『一二人』之中，把自己視爲天下人的榜樣，負有引領導嚮的重大責任，故而要嚴加注意自己的一言一行、一舉一動。其實，一個人即使萬分偉大崇高，也難有厚薄風俗的力量。許多青年朋友對我說：曾國藩活得太累了，累得讓人憐憫。是的，一個負載如此沉重的生命，其生也自然憂多于喜、苦多于樂，能不累嗎？

還要立德，這種完人標準實在是太高了，高到不可攀登，試看上下古今的風流人物，能夠找到一個嚴格意義上的「三立」完人嗎？曾氏因這種寄託形式的理想來苛求自己，怪不得一生都在痛苦中。

曾氏還有一個認識上的誤區，那就是太看重個人的榜樣力量，把這種力量估計得太高太重要。他說：「風俗之厚薄奚自乎？自乎一二人之心之所嚮而已。……此一二人者之心嚮義，則衆人與之赴義；一二人者之心嚮利，則衆人與之赴利。」（《曾氏全集·詩文》卷《原才》）他位和成就，使得他能將自己列入這「一二人」之中，把自己視為天下人的榜樣，負有引領社會的重大責任，故而要嚴厲注意自己的一言一行、一舉一動。其實，一個人即使德才崇高，也難有轉移風俗的力量。許多青年朋友對我說，曾國藩活得太累了，累得讓人懼憚。是的，一個負擔如此沉重的生命，其生也自然多苦多辛，苦多于樂，能不累嗎？

卷二　時勢造豪杰

生生不息的中華文化

二十多年來，我在整理编輯近代湖南鄉邦文獻的工作中，有幸接觸到許多珍貴的第一手歷史資料，由此走進湖湘文化的深處，偶爾似乎有一種已經聽到其心臟律動之聲的感覺。掩卷默思，常爲歷史感動得心在顫抖，血在奔涌。

我時時看到近代湖湘蒼穹上横空出世般地寫著兩個大字——血性！從曾國藩、左宗棠組建湘軍，在一片狂潮中奮起捍衛名教道統，直至後來收復新疆鎮守南國；到黄興、蔡鍔率先高舉義旗推翻帝制，保衛共和；到蔡和森、毛澤東秘密成立新民學會，後又公開拉起隊伍走上井岡山，發誓改造中國與世界；到抗戰期間，湖南境内五次正面戰場上，中國軍隊以一百八十萬血肉之軀與二十萬傷亡的代價，抗擊外侮，譜寫一曲長存史册的浩然正氣之歌。湖湘大地上這一次又一次壯舉，將『血性』這兩個大字，書寫得既驚心動魄，又光照寰宇。

衆所周知，湖湘文化深受屈原、賈誼精神之滋養與濂溪程朱學説之化育，故而乾隆帝稱之爲『道南正脉』，意即中華道統在南方的正脉。顯然，湖湘文化中的這個『血性』，既帶有强烈的湖湘地域特色，又是中華文化的一脉傳承。《易經》的『天行健，君子以自强不息』，孔子的『殺身成仁』，孟子的『威武不能屈』『捨生取義』等等，無疑是這種湖湘氣質的精神源頭和力量源泉。

我們中華文化當之無愧地是人類最優秀的文化之一。中華文化是中華民族數千年生存繁衍發展過程中的文明和智慧的結晶。儒家學説是中華文化的主體。中華文化以效法天道爲其最高原則，以敦睦血親爲其切近起點，以健全人格爲其堅固基礎，以構建群體和諧爲其根本目標。由此而衍生出公正、至誠、仁愛、孝悌、中庸、忠恕、剛明、儉約、信義等價值理念。以公正之心待物，大而將天下視爲公有，即《禮記》所説的『天下爲公』；將至誠之念視爲宇宙之原動力，即《中庸》所説的『不誠無物』；具仁愛之情關懷别人，即《中庸》所説的『成己成物』；以孝悌之行敬奉父祖友愛兄弟，進而善待天地萬物，即《西銘》所説的『民胞物與』；以中庸之道去處理世間繁瑣，即《論語》所説的『過猶不及』；以忠恕之襟待人待事，即韓愈所説的『嚴己寬人』；以剛明之志對待困難晦暗，即曾國藩所説的『貞幹睿智』；以儉約之方持身持家，即諸葛亮所説的『寧静淡泊』；以信義之守立身行事，即《左傳》所説的『信以行義』；等等。所有這些，構築中華文化的核心價值體系，且因此以其鮮明的特徵區别于世界其他民族的文化。

在這種價值觀念的指導下，中華民族涌現出無數頂天立地的民族脊梁，創造五千年輝煌的文明史，爲人類世界的文化作出不朽的寶貴貢獻。中華文化之所以能生生不息，歷經千折百難而依然劫

生生不息的中華文化

後復興，在四大古文明中唯一存活至今并保持著旺盛的生命力，實賴我們民族的賢哲與衆生代代傳承的結果。『爲天地立心，爲生民立命，爲往聖繼絶學，爲萬世開太平。』正是有千千萬萬的張横渠懷著這種崇高使命感，中華文化的精粹纔能薪火相傳，歷百世而不衰。

記得二十多年前，我應臺北『故宫博物院』之邀，以大陸學者作家身份出席該院舉辦的曾國藩逝世雙甲子紀念活動。舉辦方安排四場演講，分别由臺灣『中研院』余英時院士、張玉法院士、吕實强所長和我主講，每人演講一百分鐘。我因爲是客人，受優待安排在第一場。演講會由『故宫』院長、著名政治活動家、書法家秦孝儀先生主持，聽衆近五百人。臺灣政界元老名流如陳立夫、李元簇、李焕、孔德成等人都來到現場。那還是兩岸恢復往來的初期，臺灣民衆大多對大陸不太瞭解。大家懷著好奇的心情聽取我的題爲『曾國藩的生平與事功』的演講。演講結束後，聽衆紛紛向我提出各種各様的問題，表現出既興奮又頗感意外的激動心情。他們興奮，是因爲從大陸學者的口中聽到讓他們感到親切的理念與表達方式。他們感到意外，是因爲分離四十多年後居然還可以感受到這份來自大陸的親切。我告訴臺灣的同胞們，這是因爲我們同是炎黄子孫，我們是同一個文化所哺育出來的。這個文化便是我們共同引以爲榮的偉大的中華文化。聽衆從我的演講中看到中華文化在大陸的傳承，我則從這個活動中目睹中華文化在臺灣的傳承。會後，時已九十四歲的國民黨元老陳立夫先生親筆題贈我一段孟子語録：『居天下之廣居，立天下之正位，行天下之大道。得志與民由之，不得志獨行其道。』

在我拜訪他的時候，精神矍鑠的老先生娓娓談起中華文化『大而能容，剛而不屈，中而無偏，正而遠邪』的博大精深内涵。他説，因爲中華文化符合人類共生共存共進化的原理，故而這個文化不僅可導中國于先進，而且可拯救世界。

在陳立夫先生和廣大臺灣民衆身上，我看到兩岸發展的前景和未來，對兩岸的和平統一充滿無限信心。我們本是血脉相連的一家人，這種骨肉親情豈是外在的力量所能割裂的？

文化需要傳承，文化更需要創新。中華文化五千年的發展過程，就是一個不斷創新的過程。積歷史之經驗，可知創新的重要途徑之一在于吸納外來文化，在吸納的同時與本民族的文化相融合，從而化生爲我們自己的文化。中國古代幾次大的民族融合以及印度的佛教轉化爲本土的禪宗等，都是證明。尤其是『五四』以來，迅速傳入中國的民主與科學，更是中華文化創新的一次重大飛躍。

以感悟的歸納的思維方式爲主要特點、以人爲本的中華文化，的確非常需要吸納以邏輯的演繹的思維方式爲主要特點、以物爲重的西方文化的許多優長，民主與科學的引進，使得中華文化更爲完美，更具活力。

當前，兩岸中華兒女正面臨著中華民族騰飛的絶好時機，在中華文化熏陶下成長起來的兩岸中國人，極需要以創新的文化理念爲指導，携手合作，共創未來的美好願景。我們期待著中華文明發展史上的又一次重大的觀念突破與文化創新！

從治亂史看和諧社會的要素

三千年的中國文明史，若從社會的安定與動亂這個角度來看，也可以説是一部治亂史。治世時期，大體上説社會較爲穩定，百姓能够安生過日子。亂世時期，社會動蕩，戰爭頻繁，民不聊生。無論哪朝哪代的老百姓，都渴望治世而厭惡亂世，甚至有『寧爲太平狗，不做亂世人』這樣激憤的話出來。在當前舉國談論和諧社會的時候，剖析歷史上的治與亂現象背後的深層原因，或許對今天有所啓益。限于篇幅，本文衹能作些簡略的分析。

春秋戰國時期，是中國文明史上的第一段亂世，爲期長達五百多年。周武王以革命方式推翻商朝的統治，建立大一統的周王朝。周王朝國土遼闊，國力强大，它以分封制作爲國家的體制。建國之初和以後的兩百多年裏，分封制作爲順應時代潮流的國家體制，對周王朝的鞏固和發展作出重大的貢獻。到後來，中央政權力量日益衰弱，諸侯國中的一些國家日漸强大。强大起來的諸侯國不再服從中央政府的領導，侵略并吞并别的弱小諸侯國。這樣，亂世便開始了。混戰五個多世紀後，當初數以百計的小國逐漸化爲七個强國，後來最强的秦國又吞滅其他六國，重新建立强大的中央集權政府，國家暫時統一，戰爭停止。

以後的西漢吴楚七國之亂，西晉八王之亂，唐代藩鎮割據，民國軍閥混戰，都是中國歷史上有名的亂世時期。這些亂世的出現，有一個相同的主要原因，那便是中央政權弱而地方

勢力强，史册上所謂强枝弱幹、內輕外重等等，即指的這種現象。此弊端出在體制上。由此看來，治世的基礎在于國家必須有一個適應國情的體制。這個體制能保障國家的各個部門各個層次有序而暢通地運轉。當體制上出現妨礙運轉的有序和暢通時，則必須及時予以調整改進，即便由此付出巨大代價也是值得的。康熙初年平定三藩之亂，可以作爲一個典型例子。二十歲的康熙皇帝爲了政權的長治久安，力排衆議，毅然決然地作出削藩決策，當吴三桂、耿精忠、尚之信三藩因此反叛時，又不惜調動全國兵力予以堅決鎮壓，最終平定叛亂，樹立起中央政府的絶對權威。接下來的康雍乾百年盛世，正是奠基于此。

對于關乎體制的大事，決不能掉以輕心。首先是體制必須適應時代的發展，其次是要確保體制的有效運轉，當有危及體制的苗頭出現時，必須予以有力遏制，用以維持共同選定的這個體制的正常運行。這就是我們常説的維護大局的穩定。回顧歷史，可知這是構築治世的基礎所在。

翻開史册，我們可以看到，每一個成功的新王朝，都會在它的初期實行一系列旨在減輕農民負擔、籠絡人心的政策。這些鑒于前車之覆而不得不制定的新國策，的確起到復蘇經濟、安定民心的大作用。如漢初的輕徭薄賦、與民休息，唐初的均田制、租庸調法，宋初的減少苛捐雜税，承認土地自由買賣的『不立田制』，明初在全國範圍內丈量土地，建立户籍制等等。漢唐宋明王朝的開國君主這些順時適變的做法，歷史證明是大有必要且收效顯著的。反之，

三千年的中國文明史,若從社會的安定與動亂這個角度來看,也可以說是一部治亂史。治世時期,大體上說社會較為穩定,百姓能夠安居樂業過日子;亂世時期,社會動蕩,戰爭頻繁,民不聊生。無論哪個朝代的百姓,都渴望治世而厭惡亂世,甚至有「寧為太平犬,不作亂世人」這樣激情的話語傳下來。在當前強國興家、和諧社會的時候,探討中國古代治與亂現象背後的深層原因,或許對今天有所啟益。限于篇幅,本文只能作些簡略的分析。

春秋戰國時期,是中國文明史上的第一段亂世,為時長達五百多年。周武王以革命方式推翻商朝的統治,建立大一統的周王朝。周王朝因國土遼闊,國力強大,它以分封制作為國家的體制。建國之初,以後的兩百多年,分封制作為國家的體制,對周王朝的鞏固和發展作出了巨大的貢獻。到後來,中央政權力量日益衰弱,諸侯國中的一些國家日漸強大。強大起來的諸侯國不再服從中央政府的號令,爭霸兼并,吞并弱小諸侯國。從此,亂世開始了。混戰五個多世紀後,當初數以百計的小國已被兼并為七個強國,後來最強的秦國又吞并其他六國,重新建立強大的中央集權政府。國家再度統一,戰爭停止。

以後的西漢吳楚七國之亂,西晉八王之亂,唐代藩鎮割據,民國軍閥混戰,史上有名的亂世時期。這些亂世的出現,有一個共同的主要原因,那便是中央政權弱而地方勢力強。史書上所謂強枝弱幹,內輕外重等等,即指的這種現象。此弊端出在體制上。由此看來,治世的基礎在于國家必須有一個適應國情的體制。這個體制能保證國家的各個部門各個層次都有序而暢通地運轉。當體制上出現妨礙運轉有序和暢通時,則必須及時予以調整改進,即便由此付出巨大代價也是值得的。康熙平定三藩之亂,可以作為一個典型例子。二十歲的康熙皇帝為了政權的長治久安,力排眾議,毅然決然作出撤藩決策。當吳三桂向之后三藩因此反叛時,又不惜調動全國兵力予以堅決鎮壓,最終平定叛亂,確立中央政權的絕對權威。接下來的康雍乾盛世,正是奠基于此。

冷月孤燈

特約連載

唐浩明讀史隨筆集

對于關乎體制的大事,決不能掉以輕心。首先是體制必須適應時代的發展,其次是要能保證體制的有效運轉。當有危及體制的苗頭出現時,必須予以有力遏制,用以維持共同選定的這個體制的正常運行。這就是我們常說的維護大局的穩定。回顧歷史,可知這是維繫治世的基礎所在。

翻閱史冊,我們可以看到,每一個成功的新王朝,都會在它的前期實行一系列[illegible]民負擔,籠絡人心的政策。這些鑒于前車之鑒而不得不制定的新國策,的確起到延緩衰落、安定民心的大作用。如漢初的輕徭薄賦,與民休息,唐初的均田制,宋初的減少苛捐雜稅,承認土地占有的事實,「不立田制」。明初在全國範圍內丈量土地,造戶口黃冊。漢唐宋明王朝的開國君主這些順時通變的做法,歷史證明是大有必要且收效顯著的。反之,時代變了，國策若不調適，則會釀成大亂。一部中國近代史，便從頭到尾述説著這個慘痛教訓。每讀關于魏源『師夷長技以制夷』、曾國藩『師夷智以造炮製船』、李鴻章『三千餘年一大變局』等史料，筆者都禁不住在心中扼腕嘆惜：清朝末年，無論朝野，都不乏頭腦清晰、眼光鋭利的有識之士，他們對國家弊病的剖析準確中肯，所開的救國之方也可行有效，但當政者就是冥頑不化，抱定祖宗成法，沿襲先人慣例，墨守成規，不願變革；不但不變，還要殺害忠心耿耿的改革派官員，到了戊戌年譚嗣同等六君子喋血菜市口時，舉國上下，無論賢愚都已看出這個朝廷實在是不可救藥，逼得改良派最後也衹得與革命派聯手來推翻它。從康乾的治世到光宣的亂世，愛新覺羅氏終于因不知調適改革與時俱進，而丢失了祖宗傳下來的江山，中華民族的元氣也在七十年間的動亂中消耗殆盡。

因適時變更國策而使社會穩定，因逆時代潮流死守祖宗成法而導致政權喪失，這説明國家大計以及與之相關的重大政策，對治世的構建有著生死攸關的聯繫。

考察中國歷史上所發生的農民起義，會發現有一個强烈的社會訴求貫穿其中：隋末瓦崗寨衆頭領自封的是『一字并肩王』，唐朝黄巢所吟的菊花詩是『報與桃花一處開』，明末李自成爭取民衆的口號是『均田』，清末洪秀全爲所建的軍隊、國家命名爲『太平軍』『太平天國』。這些農民起義領袖的話語不同，但所表達的社會訴求理念是相同的，這個理念來自他們的均平思想。均平思想受到社會底層的平民百姓及弱勢群體的廣泛擁護。毫無疑問，這些人群遭

受到了社會對他們的不公平。由此我們可以看出，社會中各個群體各種層面，都應該有一個他們所能接受的大體上的平衡，不能彼此之間懸殊太大，反差太烈。

若社會長久地存在著富者積穀盈倉、貧者不能苟活的局面，人群中便會産生巨大的不公不平的情緒，那麽平衡便遭到破壞，亂世也就接踵而至。大體上的平衡，謂之適中。中國古代的哲人因此提出『中和』的思想：『喜怒哀樂之未發，謂之中；發而皆中節，謂之和。中也者，天下之大本也；和也者，天下之達道也。』國家管理者應以『中和』之道來治理國家：『致中和，天地位焉，萬物育焉。』（《禮記·中庸》）努力達到中和狀態，天地就各安其所，萬物就發育生長了。如此，社會則公平適中，治世來臨。

孔子説：『君子和而不同。』和是『八音克諧』，同則八音一個調，這兩者是大有區别的。八音不是一個調，却衹要調和得當，便可組成動聽的樂章；反之，則衹是聲音的加大而已，無優美可言。歷代治國賢君，懂得兼聽則明偏聽則暗的道理，允許不同的聲音存在，甚至鼓勵臣民發出不同的聲音。光武帝豁達大度，纔有東漢前期的經濟恢復；唐太宗從諫如流，纔有備受稱贊的貞觀之治。相反，天賦極高的商紂王，『智足以拒諫，辯足以飾非』。他的拒諫飾非，終于招來周武起兵，天下大亂，百姓不得安寧，他本人也自焚于摘星樓。明朝末年，東林、復社黨人喜對朝政發表不同意見，當政者對此極爲反感，黨人慘遭陷害囚禁。不同的聲音雖然一時消失了，但明朝也因此没有逃掉覆没的命運。不僅在國事治理上需要『八音克諧』，

時代變了，國策若不調適，則會釀成大亂。一部中國近代史，便[illegible]

爭論，關于「鎖國」「師夷長技以制夷」[illegible]

變局」等史料，筆者發現不在少數，[illegible]

光說的有識之士，他們對國家[illegible]

者就是冥頑不化，把定祖宗成法[illegible]，先入為主[illegible]

害怕那樣的改革派官員，到了戊戌年譚嗣同等六君子[illegible]

都已看出這個朝廷實在是不可救藥，[illegible]改良派最後也[illegible]

的治世到光宣的亂世，[illegible]不知道適當改革與時俱進，而失去了祖宗傳下來的江山，中華民族的元氣也在七十年間的動亂中消耗殆盡。

因適時變更國策而使社會安定，因逆時代潮流死守祖宗成法而導致政權喪失，這說明國家大計以及與之相關的重大政策，[illegible]生死攸關的聯繫。

考察中國歷史上所發生的農民起義，無一例外地都有一個強烈的社會訴求貫穿其中，[illegible]是「一字並肩王」，唐朝黃巢所採的旗號是「均平」，[illegible]明末李自成，李自成的口號是「均田」，清末洪秀全的太平天國所建的軍隊和國家名為「太平軍」「太平天國」。這些農民起義領袖的語言不同，但所表達的社會訴求理念是相同的。這個理念來自他們心中的公平思想。[illegible]受到社會底層的平民百姓及弱勢群體的廣泛擁護。毫無疑問，這些人都遭受到了社會結構的不公平。由此我們可以看出，社會中各個群體各種團體之間，都應該有一個他們所能接受的大體上的平衡，不能彼此之間差距太大，[illegible]若社會長久地存在着富者[illegible]、貧者不能存活的局面，人群中便會產生巨大的不公不平的情緒，那麼平衡便遭到破壞，亂世也就接踵而至。大體上的平衡，謂之適中。中國古代的許多人因此提出「中和」的思想。「喜怒哀樂之未發，謂之中；發而皆中節，謂之和。中也者，天下之大本也；和也者，天下之達道也。」國家管理者應以「中和」之道來治理國家：「致中和，天地位焉，萬物育焉。」（《禮記·中庸》）強調達到中和狀態，天地就各安其所，萬物就會發育生長了。如此，社會則公平適中，治世來臨。

孔子說：「君子和而不同，小人同而不和。」[illegible]八音克諧，[illegible]八音一調，這是大有區別的。八音不是一個調，但卻要和諧相處，才組成動聽的樂章；[illegible]無美可言。歷代治國者，懂得此理則明，不懂此理則暗，[illegible]允許不同的聲音存在，甚至鼓勵臣民發出不同的諧音。光武帝[illegible]，纔有東漢前期的繁榮恢復；唐太宗從諫如流，纔有備受稱讚的貞觀之治。相反，[illegible]的商紂王，「智足以拒諫，言足以飾非」，他的議論非[illegible]，終于招來周武王[illegible]，天下大亂，百姓不得安寧，他本人也自焚于摘星樓。明朝末年，東林、復社黨人曾對明朝政治發表不同意見，當政者卻將此視爲反叛，黨人慘遭迫害囚禁。不同的諧音消失了，但明朝也因此沒有逃避覆亡的命運。不僅在國事治理上需要「八音克諧」，整個社會的繁榮也依賴于不拘一格。漢武帝的盛世肇源于漢帝國與四夷的交往融合，互爲推進；唐玄宗的開元、天寶時的『萬邦來儀』，更是當時大唐帝國廣納天下的恢宏氣魄的成就。

由此看來，和而不同，八音克諧，實在是治世的一個不可缺少的條件。

集權與分權屬于體制的範疇，能否適時調整國策屬于政策制定方面的考慮，均平與否，牽涉到分配的公道，和而不同可歸之于監督的範圍內。治世與和諧緊密相連，亂世絶對是不和諧的。簡略回顧一下歷史，我們可以看出體制、政策、分配、監督這四個方面對社會治與亂的重大影響。三千年的文明史告訴我們，體制得當、政策適時、分配合理、監督有效，則社會有可能和諧，反之則一定不和諧。

厚重與和諧

——紫禁城文化的感悟

每次走進紫禁城，給我的第一感覺便是它的厚重：巍峨的屋頂，大氣的飛檐，雄偉的楹柱，端莊的匾額，威嚴的陛墀，遼闊的磚坪。厚重之感，無處不在。徐徐漫步城內，則又明顯感受到它的和諧氛圍：三大殿、後三宮壓在中軸綫上，成爲重重殿宇的主體，東西兩側一座座自成體系又相互呼應的宫院，按照陰陽五行的内蘊極有規矩地分布著，殿前流水蜿蜒，玉橋横跨，宫後古木挺直，園林清雅。一切都在均衡、協調與相映成趣之中。

紫禁城的建築群，無疑是宫廷文化中的主要内容，而宫廷文化則集中地經典性地代表著傳統文化，厚重與和諧，恰恰是兩個突出的中國式的傳統文化特色。

厚重即敦厚持重，體現以農立國的中華民族對土地山石的崇拜情結。所謂『地勢坤，君子以厚德載物』，所謂『君子不重則不威』，都是崇拜對象的人格化。與淺薄、刻薄、輕飄、輕浮相左，敦厚持重歷來爲人們所稱頌的美德。這種美德，對于宫廷主人即當國者而言，更顯得重要。

敦厚乃恕道，是儒家仁愛學説的核心。一個國家的最高管理者，對其子民必須具有仁愛之心，因爲仁心可以使他手中所握有的至高無上的權力，用在給民衆帶來福祉的事情上。反之，王土王民則有可能成爲其恣意妄爲的工具與魚肉。持重乃治理泱泱大國的第一要略。自

古以來，中國便是世界上少有可比的大一統帝國。國大口衆，情况複雜變數多，舉措稍有不慎，便有可能生發禍亂。故而『治大國者若烹小鮮』，當小心翼翼慎重從事，所謂『老成謀國』，其用意即在此。

當國者既敦厚又持重，國家纔有可能被置于磐石之上，安安穩穩；若刻薄寡恩，輕舉妄動，國家將可能處于水火之中，動蕩不寧。

至于和諧，則是儒家學説關于國家治理的理想境界。和諧的觀念源于對奏樂的感悟。《樂記》説：『樂者，天地之和也。』各種不同的樂器，如琴瑟竽笙，單獨吹奏，發出的是各種不同的聲音；若將它們合起來一道吹奏，則或糟糟混混駁亂無序，此爲雜聲，或高低得宜，衆音協調，此爲和聲。儒家認爲，八音克諧而産生的協調之美，纔是天地間之大美，其原理與整治國家的道理相通。世間紛雜，衆生芸芸，正好比琴瑟竽笙各發各的聲音，若將它們調理得各自得宜又互相協諧，則可以奏出人世間的和聲。這種和聲，就是國家和諧的表徵。古聖昔賢們苦苦尋找種種能構建和諧之音的方式，以達到萬邦咸寧萬衆一心的目的，『中庸之道』應是此中最爲成功的探索。如果將治國的這種理念推及到治心上去，則更高了一層。人的心聲與天地間萬籟之聲，也好比琴瑟竽笙的關係，若人的心聲能調到與天地間萬籟之聲協宜一致的地步，那麽，彼此也能形成和聲。此時，天人合一，和諧到了最高境界。

孔子説『君子和而不同』。和不是同，和恰恰是排斥同。執政者可以用自己强大的權力

壓制不同的聲音，迫使全國發出一致的聲調。但這種聲調單調枯燥，絶不是美妙的樂聲，當然，也絶不是和諧之音。衹有讓天下臣民都可以發出自己的聲音，而又讓他們在國家强盛衆生幸福的主旋律上協調起來，這纔是高明執政者所面臨的第一要務。其關鍵在于執政者及其所掌管的一整套職能部門的調理功夫。古時設立三公，其職能爲『燮理陰陽』。『燮理陰陽』這四個字，看起來有點玄虚，實際上其中所蘊含的正是高超的調和藝術：化解大大小小的各種矛盾，讓它們構成一種新的化境。殷高宗對傅説説：『若作和羹，爾惟梅鹽。』經過梅和鹽的調理，做出來的美味纔是和羹——鮮美可口的湯汁。

當年，故宫建築群的設計，的確有深意存焉。高大壯麗的宫殿，既象徵著皇權的神聖不可侵犯，同時也以其厚重品格在啓沃居住此處的主人。錯落有致的布置，既造成形式上的美感，更時時在提醒當國者：和諧纔是江山社稷的最好境況。三大殿分别以保和、中和、太和命名，便是這層含意的昭示。

誠然，明清兩朝的二十四代皇帝，絶少有人做到厚重，國家的整治即便是康乾盛世也很難説就達到了和諧，但紫禁城文化裏所體現的這兩個中國式的治國理念，却有著豐富的内涵和久遠的價值，至今仍在啓迪當代國家管理者和普通民衆。

湖湘文化的精神特質

我們都知道，中華民族有一個共同的精神家園，這個精神家園就是中華文化。中華文化是中華民族的靈魂，是維係這個民族的最爲强大的紐帶。然而，中華文化的形成有一個漫長的歷史過程，又加之自古以來中國幅員遼闊，地區之間差异大，交流不便，且人口衆多，族群并非單一，故而，在中國境內，也存在著特色鮮明的地域文化。學術界提得比較多的有中原文化、齊魯文化、燕趙文化、關中文化、巴蜀文化、吳越文化、包括臺灣在內的閩南文化、包括香港澳門在內的嶺南文化等等。其中，我們的湖湘文化，更因在近代影響巨大深遠而廣爲人知。

我認爲探討湖湘文化的精神特質，應從兩個關鍵詞入手：一爲楚風，一爲湘學。

楚風即楚之風俗，具體地說即南楚之風俗，這是湖湘文化誕生的廣大厚實之基礎。

南楚風俗是由南楚也就是湖湘的地與人所形成的。

這塊土地，有以下幾個主要特點。一、位于亞熱帶，氣候温暖，雨水豐沛，宜于植物生長。二、它的東、南、西三面環山，北面是洞庭湖，境內有湘、資、沅、澧四條大河，四條河水最後都匯集于洞庭湖內。三、境內多丘陵，少平地，大部分土地不肥沃，南部多紫色頁岩，其土質更爲瘠薄。對于整個湖南的地理狀況，歷來有八分山水二分田之説。

據考古資料證實，遠在舊石器時代，古人類就在湖湘一帶活動。最古老的遺存，可以追溯到五十萬年前。據史籍記載，春秋戰國時期乃至更早以前，湖湘大地上居住的族群主要有五個，即越人、蠻人、濮人、巴人、楚人。其中越、蠻、濮三個族群一總被稱之爲南蠻子，他們是湖湘一帶的原住民，對這塊土地所起的作用力最大。巴、楚兩個族群進入較晚，人數較少。大致在西周末東周初這段時期，楚國的勢力開始深入湖南，并將其大部分土地納入楚國的版圖。從秦朝開始，湖南在政治、經濟以及官方文化方面與中原地區逐漸靠攏。秦漢時期，爲躲避戰亂，一些北方人南遷湖南。他們憑藉先進的生產力和團隊的力量占據境內的中心地帶，將大部分原住民逼向西部和南部。這批人就是後來的苗、瑶、侗、土家等少數民族的祖先。南下的北方人與繼續留在中心地帶的人群漸漸融合，成爲湖湘地區的主體民族——漢族。

常言説一方水土養一方人。湖湘這方水土養育的這方人是一個什麽樣的生存狀態呢？

對此，古代史册常用這樣的字眼來予以描摹：尚武、好鬥、喜用劍、輕死、剽輕、易于激發等等。用今天的語言來表述，即崇尚勇武、喜歡打鬥、愛好兵器、對死看得輕、剽悍敏捷、容易被激怒等等。對湖湘這種民風的形象記載，應屬偉大詩人屈原。當我們讀屈原的《離騷》《國殤》《卜居》《漁父》等辭賦時，感受到的正是這種氛圍。

自古以來所形成的風俗，至今仍在影響著今天的湘人。比如説『霸蠻』這兩個字，湖南各地的男女老少都會隨口説出。湖南人所説的『霸蠻』，通常有兩個最主要的內涵：一爲野蠻，

强拗，不講方式，不循常情。一爲霸道，强梁，不講道理，衹服力量。這個詞中有一個『蠻』字，正説明這是遠古南蠻子的遺風。

對湖湘文化的打造起著重大作用的還有湘學。湘學是對湖湘學問、湖湘學派的簡稱。『湖湘學派』一詞最早出現在南宋初期，是當時學術界對以胡安國、胡宏父子爲代表的學術群體的稱呼。

在一段很長的歷史時期中，湖南没有本土的大學問家，湖南精英層面沐浴的是『流寓學問』的光輝，屈原、賈誼、杜甫、劉禹錫、王昌齡、柳宗元等人，便是流寓者的杰出代表。其中影響最大的要數屈原、賈誼。青年毛澤東在送新民學會會員羅章龍赴日本留學的長詩中，就把羅章龍比作屈原、賈誼式的人物：『年少峥嶸屈賈才，山川奇氣曾鍾此。』可見屈賈在湖湘的地位。至今仍有人認爲，屈賈乃湖湘精英文化的源頭。湖南人對屈賈有著一種特別親切的敬重感，汨羅江邊的屈子祠與長沙城裏的賈太傅祠，千百年來因此而香火不絶。

屈賈對湖湘精英階層來説，首先是人格方面的影響。屈原追求高尚的理想，不與污濁同流合污；賈誼對朝廷忠心耿耿，梁王墜馬殞命，身爲師傅的他爲之憂傷至死。這裏體現的都是人格上的美好。屈原自投汨羅江的壯舉，更爲湖湘士人血性的培植樹立了高山仰止的榜樣。其次是他們藉文字爲湖湘士人的精神開拓了一片高遠的境界。《離騷》中的『長太息以掩涕兮，哀民生之多艱』的感嘆，《過秦論》中對秦王朝『仁義不施，而攻守之勢异也』的批判，

在一代代湖湘士人的心裏敲起警鐘：做官行政，當以民爲本，以德爲化。此外，屈賈的文風，特别是屈原辭賦中所表現出的波譎雲詭、氣象萬千的想象力和建立在楚地民歌基礎上的横絶一時的創造性，更成爲湖湘士人激情蕩漾、勇于創新精神的源頭。

可惜，湖湘畢竟地處偏僻，萬水千山阻隔了中原文化的流暢進入。屈賈之後的杜甫、劉禹錫、王昌齡、柳宗元等人，或因在湖湘滯留時間的短暫，或因本身文化影響力的略遜一籌，湖湘的學術星空，一直晨星寥落，亮度不足。直到晚唐期間，湖湘仍被北人視爲地老天荒的蠻夷之地。唐宣宗大中年間，長沙舉子劉蜕第一個考中進士，被叫作破天荒。顯然，以儒家學説爲核心的漢民族主流文化，直到那時還談不上對湖湘大地這個蠻荒之國有著深度影響，湖南尚未有嚴格意義上的學術研究群體和具備自我特色的學術流派。湖南本土的學術活動，應該説是從周敦頤開始。

北宋道州人周敦頤，早年受教于家鄉，成年後離開湖南進入仕途。他在《易傳》《中庸》及道家思想基礎上，提出一個以『太極』爲中心的世界創成説，還提出性、理、命等哲學概念，創立濂溪學派，擁有程顥、程頤等一大群優秀弟子。周敦頤不僅因此成爲影響中國後期封建社會最爲深遠的理學鼻祖，也成爲湖南學術發展的强大推動力。周敦頤的再傳弟子楊時將他的學問帶回湖南，楊時的弟子胡宏及再傳弟子張栻對湖湘學術的奠定發揮過關鍵作用。從那以後，湖湘學術逐漸走向繁榮。相應地，『湖湘學派』也逐漸成爲對三湘四水學術群體的通稱。

一片屬于自己的世界。

這就是源遠流長的湖湘文化。這條文化長河流到近代，有了一個質的飛躍，促使這個飛躍的則是十九世紀五十年代後，在長達四十多年的時間裏活躍在中國東西南北廣袤大地上的湘軍。

爲對付太平天國而誕生的湘軍，在它鼎盛的時候，曾有過三十萬左右將士的出入。如此龐大的軍事團隊的出現，在湖南堪稱是全民動員、全境參與的結果。其歷時之久，轉戰之廣，影響之大，自有湖湘以來，沒有任何一次活動可以與之相比。它先是舉全力與太平軍作戰，然後與捻軍交鋒，接下來從沙俄手中收復新疆，爲抵禦法國軍隊鎮守南國、遠赴臺灣，最後扼守遼東半島，與日本侵略者血戰于國門。在中國，一個省的軍隊能有如此戰績，自秦漢一統以來尚無先例。

當時朝廷在短短兩個多月内任命了包括曾國藩在内的四十三個團練大臣，爲什麽單單在湖南出現一支這樣的軍隊，而其他省并沒有出現呢？湘軍之所以會崛起在湖南，正是因爲湖南有湖湘文化的緣故。首先，湖湘文化中的『野蠻』培育了千千萬萬喜愛打鬥、剽悍敏捷、血性旺烈、視死如歸的熱血男兒。這些人，就是爲戰爭而準備的取之不盡、用之不竭的最好兵源。

其次，湖湘學派經世致用的學風，也爲社會團隊培育了充足的領袖人才，左宗棠、江忠源、羅澤南、李續賓、李續宜、彭玉麟、李元度、劉長佑、劉坤一、劉蓉等人，就是其中的優秀代表。他們或爲舉人，或爲秀才，都是湖湘學問熏陶出來的飽學之士。他們從踏入學堂的第一天起，就沒有把讀經究史、著書立説作爲自己的終生事業，也就是説沒有把學人和文人當作自己的人生目標。走進廣闊的社會，把學問貢獻給江山社稷，把滿腹經綸化爲世間現實，纔是他們人生選擇，而越是天下大亂，越是滄海横流，他們越是熱血沸騰，越是鬥志旺盛，越覺得正是自己一展抱負的時候。青年左宗棠的一副『身無半文，心憂天下；讀破萬卷，神交古人』聯語，堪稱展示這種情懷的代表作。這些人，在太平軍初起時，就已經看到大亂將至、國將不寧的端倪，紛紛走出書齋，下海拉起了隊伍，一旦等到曾國藩奉旨辦理團練，便四處雲集于他的麾下，成爲早期湘軍各個軍營中智勇兼備的領軍人物。

再者，源遠流長的獨立根性，還爲湘軍釀造了順暢出爐的意識基礎。朝廷任命曾國藩爲團練大臣，他若不折不扣地按朝廷的指示辦事的話，辦理的應是全省性的民兵事務，但實際上，曾國藩從一開始便打算要『赤地新立』，要『另起爐灶』，他心裏想要做的事情就是建一支獨立于八旗、緑營外的新的軍隊。曾國藩的這種想法和後來的行爲，得到湖南社會從官方到民間的廣泛支持。除開有湘西苗屯和江忠源楚勇的先例外，更重要的是在長期的獨立根性的影響下，湖湘社會有一種較强的獨自意識，即喜歡獨往獨來，不願接受限制，而誕生于嘉慶時期的湘西苗屯和太平天國事起後出現最早的鄉勇即江忠源的楚勇，從源頭上來説，也是這

種獨立根性的產物。

正是因爲這些原因，湘軍于是出現在湖南，而難以成長于外地。

反過來，湘軍運動又極大地張揚了湖湘文化以倔强勇悍爲主色的固有品質。這些品質，又因書生帶兵及大批底層百姓闖蕩江湖的緣故，得以大幅度提升，有些方面則更因信仰的植入，而獲得質的升華。經過這次提升後的湖湘文化，開始進入一個全新的境界。從此，心繫天下、敢爲人先、憂國憂民、勇于犧牲、頑强果决、堅忍不拔等等，便成爲百餘年來湖湘文化精神的主要内容，也成了國人心目中湖南人的群體形象。

湘軍運動還給湖南人帶來團隊觀念和世界眼光等時代新内涵，以及大量占據軍政要津的人物，大批從江浙等地流入的錢財。所有這些，給湖南驟然增添了思想、人才與財富。同時，也使得湖南人的自信心大爲增强，擔當意識更爲强烈。楊度著名的『若道中華國果亡，除是湖南人盡死』的詩句，就産生在這樣的背景下。湖南因此風氣大開，省運大興，各行各業，包括教育、維新、憲政、實業等等，都走在全國各省的前列。湖南成爲清末民初，全中國最富有生氣的省份，乃至于被譽爲『舉世無出其右』者。

湖湘文化就這樣走出洞庭湖，走向中國，走向世界，成爲近代中國影響最大、美譽度最高的地域性文化。

然而，湖湘文化畢竟是誕生并長期生存于一個封閉的農業地區，它的勃興與强化，也完

成在一個以鞏固封建王朝爲宗旨的亂世時期。因此，它的局限性是明顯的。它不可能擺脱封閉與落後這個先天宿命。它的缺陷和負面，也與生俱來。比如説，心繫天下，就有可能變爲多管閑事；敢爲人先，也許就是好出風頭；過分强調心性修煉，又容易走向唯意志論；憂國憂民，則常常流于空疏，不肯脚踏實地。堅忍不拔，又往往喜歡認死理，一根筋到底；勇于犧牲，説不定鼓舞了亡命之徒；血性旺烈者，又多脾氣暴躁，易走極端，矯枉過正。熱心事功者，則又多熱衷鬥争，喜歡窩裏鬥；過于强梁乃至霸蠻，則有傷以協調退讓求共贏的商業談判之道；重情重誼，則一不小心便走進了幫派圈子。所有這些，都是深受湖湘文化影響的湖南人所應該特别警惕的。

對于湖南人來説，湖湘文化是我們擺脱不了的精神家園和心靈紐帶。我們需要理性地認識它，研究它，這其實也就是認識與研究我們自己。我們要揚長避短，去粗取精，尤其要與時俱進，不斷給它注入時代的新内涵，將先輩所積纍的這筆文化遺産，科學地爲今天所用，從而更好地經營當下創造未來。我想，這應該是我們談論湖湘文化的目的。

忠誠：湘人品格的最亮點

忠誠是中華民族最爲看重的文化品格。《論語》説：『夫子之道，忠恕而已矣。』『吾日三省吾身：爲人謀而不忠乎？』《中庸》説：『誠者，物之終始，不誠無物，是故君子誠之爲貴。』自有文明史以來，中華民族就將忠誠作爲立身處世的根本，以之教育子弟，世代傳承，從而築基于社會深層，融化于民族血脉：忠誠者受人敬重，不忠誠者遭人鄙弃。湖南人于此更爲重視。我們在探討湖南精神的時候，無論是研究有素的專家，還是普通民衆，都一致視忠誠爲湘人品格的最亮點，是湖湘文化最鮮明的精神特徵。

最先將忠誠植于湖湘人心的，是舜帝的二妃娥皇、女英。舜帝南巡，經年不歸，二位妃子想念丈夫，不遠萬里尋夫來到湖南，得知舜帝死于蒼梧山，二人泪灑竹林，身殉湘江。娥皇、女英綻放的是一種最美麗堅貞的忠誠：忠誠于愛情。湘人由衷敬重這種忠誠，將她們封爲湘君、湘夫人，建二妃廟以紀念，千百年來頂禮膜拜，香火不絶。湘女多情，遂源于此。

讓忠誠深深扎根于湖湘大地的，應屬偉大的屈原。屈原遭人讒害，從宫廷放逐民間。他披髮流離，行吟澤畔，最後來到湖南，在湖南留下不少光輝辭賦後自沉汨羅江。屈原的忠誠，其内涵更爲廣闊：忠誠于信仰，忠誠于人民，忠誠于國家。『亦余心之所善兮，雖九死其猶未悔』，『長太息以掩涕兮，哀民生之多艱』，『鳥飛反故鄉兮，狐死必首丘』。這些詩句寫盡了詩

人的滿腔忠誠之心。屈原以他不朽的作品，將忠誠灌輸到湖湘人士的心靈，化爲他們的道德操守與行爲規範。同時，在民間，百姓也以吃粽子過端午等世俗節慶，把忠誠這種崇高品質，潛移默化于日常生活中。漢代的賈誼，將時代的呼聲注入忠誠中。《過秦論》曰：『仁義不施，而攻守之勢异也。』施仁義于民，這是賈誼深研歷史默察當下而貢獻給執政者的大忠大誠。人們常説湖湘精英文化的源頭是屈賈精神，屈賈精神的要義便是忠誠。

在唐代，湖南士人沐浴的是流寓文學的光輝。以王昌齡、劉禹錫、柳宗元爲代表的寓居湖湘的官員，以李白、杜甫、韓愈爲代表的流浪湖湘的名士，儘管他們或遭受打擊或命運坎坷，但他們對國家對人民的忠誠，却一直不變。曾做過龍標尉的王昌齡的兩句詩：洛陽親友如相問，一片冰心在玉壺，堪稱此種心境的代表作。

到了宋代，由道州人周敦頤及其弟子二程所創立的理學大昌于思想界。在周敦頤的故鄉湖南，理學的南方正宗湖湘之學，備受學術界尊崇。周敦頤學問的核心思想便是一個誠字。他認爲『誠者，聖人之本』，『誠，五常之本，百行之源』。在這種核心思想的指導下，湖湘之學高舉誠的旗幟，鑄造士人誠的品格。從此，以對國家對人民的誠爲主要内容的忠誠，便成爲湘學的鮮明學術特徵，尤其在國亂民危時期，更顯湘人的忠誠本色。從學者胡宏抗金復仇的慷慨激昂，到官員李芾的城破自殺、百餘名岳麓書院學子的戰死長沙城牆，從湖南士兵赴江浙沿海抗擊倭寇，到湖南民衆抵抗清兵，湘人的忠誠品格在史冊上留下濃墨重彩的篇章。

其中王夫之，以他抗清復明的壯舉和失敗後隱居著述四十年的卓絶所成就的船山形象與船山學説，更成爲爾後湖湘士人人格的榜樣與力量的源泉。

近代中國多災多難，湖南因其地理原因，又成爲災難的多發與重創之區；相應地，湘人的忠誠也就『時窮節乃見，一一垂丹青』。鴉片戰争之後，老大帝國貧窮腐朽的真實面目暴露在全世界面前。中國的愛國之士在蒙受耻辱的同時，也痛悟國家必須從困境中解救出來。于是，探索復興的漫長之路便從那時開始，湘人一馬當先。邵陽人魏源最先提出『師夷長技以制夷』的對策，石破天驚，震驚國人。二十年後，湘軍統帥曾國藩再次提醒朝廷：『目前資夷力以助剿濟運，得紓一時之憂；將來師夷智以造炮製船，尤可期永遠之利。』終于，曾氏的思考化爲國策，從而揭開洋務運動的序幕，中國開始從封閉走向世界。尤其令我們不能忘記的是：左宗棠以花甲之年輿櫬出關，從俄國手中收復新疆；彭玉麟鎮守南國，楊載福渡海入臺，共同抗擊法人；劉坤一在遼東血戰日本侵略者。他們與他們所統率的湖湘子弟的那一腔精忠報國之志，任是何時想起，都會令我們熱血沸騰，肅然起敬。

湘人的忠誠在抗日戰争中表現得更爲悲壯。湖南是正面戰場的最重要戰區。在這塊土地上，中國軍隊進行三次長沙戰役、常德戰役和衡陽戰役共五次重大戰役，以火焚長沙的慘烈，以投入軍隊一百八十萬人傷亡二十萬人的代價，最後贏來芷江洽降的光榮。湘人對國家對民族的忠誠光照日月，感天動地。在無産階級革命運動中，湘人的忠誠更爲全國表率。衡陽人

夏明翰『砍頭不要緊，祇要主義真。殺了夏明翰，還有後來人』的詩句，足以作爲人類忠誠于信仰的豪邁宣言。

忠誠，這個中華民族的傳統美德之于湖湘的表現，有兩個重要的特色：一爲拙誠，一爲血誠。

所謂拙誠，就是不投機取巧、不三心二意、實實在在、篤厚樸素的忠誠，它又被稱之爲樸誠、實誠。湘地多山，山民心思多篤實；湘地貧窮，窮人生活多簡樸；湘地較閉塞，湘民舉止多笨拙。故忠誠之在湖湘，則表現爲樸實色彩濃厚的拙誠。湘人的祖先爲南蠻。南蠻血性旺烈，易爲意氣所使，不太會計較個人的得失利害，一旦看準了一件事情，就會以特别的倔强去努力辦成，甚至于灑血丢命都不顧惜。這是忠誠的最高表現，湘人稱之爲血誠。譚嗣同、陳天華、楊毓麟、姚宏業等人，以一己之生命唤醒國人的泣血之舉，就是這種血誠最典型的體現。

在爲期近一年的湖南精神大討論中，絶大多數湘人以忠誠作爲湖南精神的首選。這説明當代湘人看到自古以來忠誠在湖湘文化中的顯著地位，也説明湘人十分敬重這種品德，決心在打造新湖南的過程中更好地繼承這一寶貴傳統，將它發揚光大：忠誠于信仰，忠誠于人民，忠誠于國家，忠誠于事業，忠誠于家庭，忠誠于人類一切美好的情感。

其中王夫之、以德抗清復明的壯舉和失敗後隱居著述四十年的卓絕所成就的品格由形象與岩山
學說，更成為激後湘士人人格的楷模與力量的源泉。

近代中國多災多難，湖南因其地理原因，又成為災難的多發與重創之區，相應地，湘人的忠誠也就「時窮節乃見，一一垂丹青」。鴉片戰爭之後，大帝國貧窮衰朽的真實面目暴露在全世界面前，中國的愛國之士在憂國的同時，也痛悟國家必須從困境中解救出來。于是，探索復興的漫長之路便從那時開始，湘人一馬當先。邵陽人魏源最先提出「師夷長技以制夷」的對策，石破天驚，震驚國人。二十年後，湘軍統帥曾國藩再次提醒朝廷：「目前資夷力以助剿濟運，得紓一時之憂；將來師夷智以造炮製船，尤可期永遠之利。」于是，曾氏的思考以化為國策，從而揭開洋務運動的序幕。中國開始從封閉走向世界。凡其今我們不能忘記的是：左宗棠以花甲之年輿櫬出關，從俄國手中收復新疆；王鑫鎮守南國，楊載福渡海入臺，共同抗擊法人；劉坤一在遼東血戰日本侵略者。他們所統率的湖湘子弟的那一腔精忠報國之志，任是何時提起，都會令我們熱血沸騰，肅然起敬。

湘人的忠誠在抗日戰爭中表現得更為突出。湖南是正面戰場的最重要戰區。在這塊土地上，中國軍隊進行三次長沙戰役、常德戰役和衡陽保衛戰役及共五次重大戰役，以火焚長沙的慘烈，以投入軍隊一百八十萬人傷亡三十萬人的代價，最後贏來芷江洽降的光榮。湘人對國家對民族的忠誠先照日月，感天動地。在無產階級革命運動中，湘人的忠誠更為全國表率。衡陽人夏明翰「砍頭不要緊，只要主義真。殺了夏明翰，還有後來人」的詩句，足以作為人類忠誠于信仰的豪邁宣言。

忠誠。這個中華民族的傳統美德之于湖湘的表現，有兩個重要的特色：一為拙誠，一為血誠。

所謂拙誠，就是不投機取巧，不三心二意，實實在在、篤厚樸素的忠誠。它又被稱之為樸誠、實誠。湘地多山，山民心思多篤實；湘地貧窮，窮人生活多簡樸；湘地較閉塞，湘民舉止多樸拙。故忠誠之在湖湘，則表現為樸實色彩濃厚的拙誠。湘人的祖先為南蠻，南蠻血性旺烈，易為意氣所使，不太會計較個人的得失利害，一旦看準了一件事情，就會以特別的倔強去努力辦成，甚至于灑血丟命都不顧惜。這是忠誠的最高表現，湘人稱之為血誠。譚嗣同、陳天華、楊毓麟、姚宏業等人，以一己之生命喚醒國人的流血之舉，就是這種血誠最典型的體現。

在為期近一年的湖湘精神大討論中，絕大多數湘人以忠誠作為湖南精神的首選。這說明當代湘人看到自古以來忠誠在湖湘文化中的顯著地位，也說明湘人十分重視這種品德，決心在打造湖南的過程中更好地繼承這一寶貴傳統，將它發揚光大：忠誠于信仰，忠誠于人民，忠誠于國家，忠誠于事業，忠誠于家庭，忠誠于人類一切美好的情感。

回雁孤峰喚船山

近代湖湘文化是全國最有影響的地域性文化，史學界說：一部中國近代史，半部湘人奮鬥篇。這話并非誇張，倘若沒有湖南人的拼死拼命，中國近代的歷史很可能就是另外一種寫法。光彩奪目的近代湖湘文化，是五千年中華文明化育的結果，歷代先賢的智慧滋潤著這片土地，哺育著三湘兒女，要說對它影響最大，距離最近的一位先賢，當數王船山。說到王船山與近代湖湘文化之間的關係，我以爲主要體現在兩個方面。

一、王船山對湖湘士人群體人格的影響

生活在湖湘土地上的人群，由于生存環境較爲艱難與封閉，也由于楚風熏陶的深厚與持久，人們大多倔强而富有血性。這種倔强與血性，在有著較高文化素養的士人身上，則表現爲對信仰與事業的執著忠誠。

王船山祖先世代爲明朝的官員。他本人十四歲中秀才，二十四歲中舉人。他自認爲大明王朝對他恩德深厚，于是他對這個王朝忠心耿耿。他既堅持不與農民起義軍合作，又堅決抗拒清軍對明朝廷的入侵。在北京的崇禎朝廷滅亡後，他仍要做朱氏王朝的義士忠臣，追隨著南明小朝廷奔波流徙。後來，永曆小朝廷也覆没了，清軍在全國範圍內建立了穩固的一統政權，他仍然對這個滿人的朝廷不予承認，甚至圖謀起義。意圖破産後，他隱居荒山，不聞世事。在近四十年的歲月中，他將對時局變易的一腔孤憤，全力傾注在學術研究中。傳說他每當外出時，則頭戴斗笠，脚穿木屐，表示不與清王朝同天共地的堅決態度。王船山這種孤臣孽子式的生存方式，贏得後世湖湘士人對他的極大敬重。

晚明時期，政權腐敗透頂，滅亡并非可惜，滿人的清政權，很快皈依漢文化，接下來又創造了百年輝煌的政績，在中國歷史上，這個政權也并非倒退。清取代明，自有它的合理性。王船山對抗清鬥爭的堅持和對朱明王朝的痴情，與其說是一種政治立場，毋寧說是一種人格意義。在他身上所體現的，是一個士人對信仰與事業的執著與忠誠。它在本質上與屈原投江、娥皇女英殉情是一致的。這既是湖湘文化所推崇的道德品性，同時，這種價值取嚮，又因王船山的學術成就而更加深入湖湘士人群體。陶澍說王船山『行宜介特，足立頑懦』，唐鑒說他『身足以礪金石』，又說『《易》曰「苟非其人，道不虛行」，其先生之謂乎』，郭嵩燾說他『節義詞章』『元明兩代一先生』，王闓運說他『誠修德君子，可爲師楷者』，章士釗說他『伏處南疆，艱貞絶學』，楊度說『惟有船山一片心，哀號匍匐向空林』等等，說的都是王船山對湖湘士人人格塑造上的影響。至于楊昌濟爲學生講修身一課時，多次要學生從王船山的著作中尋找依據來談自己的修身，則更是十分明白地說明楊昌濟對王船山人格的仰慕。記得少年時代，我和我的一班子同學每次到船山圖書館，都會在船山先生清瘦的雕像前默然肅立良久，對衡陽這位先賢充滿著敬意，也頗以與船山同爲衡陽人而自豪。

近代湖湘文化是全國最有影響的地域性文化。史學界說：一部中國近代史，半部湘人書寫。這話並非誇張，倘若沒有湖南人的拼死拼命，中國近代的歷史很可能就是另外一種寫法。光榮奪目的近代湖湘文化，是五千年中華文明化育的結果，歷代先賢的智慧滋潤著這方土地，哺育著三湘兒女。要說對它影響最大、距離最近的一位先賢，當數王船山。說到王船山與近代湖湘文化之間的關係，我以為主要體現在兩個方面。

一、王船山對湖湘士人群體人格的影響

生活在湖湘土地上的人群，由于生存環境較為艱難與封閉，也由于楚風楚俗的深厚與持久，人們大多倔強而富有血性。這種倔強與血性，在有著較高文化素養的士人身上，則表現為對信仰與事業的執著忠誠。

王船山祖先世代為明朝的官員。他本人十四歲中秀才，二十四歲中舉人。他自認為大明王朝對他恩德深厚，于是他對這個王朝忠心耿耿。他既堅持不與農民起義軍合作，又堅決抵抗清軍對明朝廷的入侵。在北京的崇禎朝廷滅亡後，他仍要做朱氏王朝的義士忠臣，追隨著南明小朝廷奔波流徙。後來，永曆小朝廷也覆沒了，清軍在全國範圍內建立了穩固的一統政權，他仍然對這個滿人的朝廷不予承認，甚至圖謀起義，意圖恢復。後，他隱居荒山，不問世事。

在近四十年的歲月中，他將對時局變易的一腔孤憤，全力傾注在學術研究中。據說他每當外出時，頭戴斗笠，腳穿木屐，表示不與清王朝同天共地的堅決態度。王船山這種孤臣孽子式的生存方式，贏得後世湖湘士人對他的極大敬重。

晚明時期，政權腐敗透頂，滅亡并非可惜。滿人的清政權，很快服膺漢文化，接下來又創造了百年輝煌的政績，在中國歷史上，這個政權也并非倒退。清取代明，自有它的合理性。王船山對抗清鬥爭的堅持和對朱明王朝的癡情，與其說是一種政治立場，毋寧說是一種人格意義。在他身上所體現的，是一個士人對信仰與事業的執著與忠誠，它在本質上與屈原投江、[illegible]是一致的。這既是湖湘文化所推崇的道德品性，同時，這種價值取向，又因王船山的學術成就而更加深入湖湘士人群體。曾國藩說王船山「行宜介特，足立頑懦」，唐鑒說他「身足以彌金石」，又說「《易》曰『苟非其人，道不虛行』，其先生之謂乎」。郭嵩燾說他「節義詞章，元明兩代一先生」。王闓運說他「誠修德君子，可為師法者」。章士釗說他「伏處南疆，艱貞絕學」。楊度說「惟有船山一片心，哀號衡嶽向空林」等等。說的都是王船山對湖湘士人人格塑造上的影響。至于楊昌濟為學生講修身一課時，多次要學生從王船山的著作中尋找依據來談自己的修身，則更是十分明白地說明楊昌濟對王船山人格的仰慕。記得少年時代，我和我的一班子同學在衡陽船山圖書館，都會在船山先生清瘦的畫像前默然肅立良久，對衡陽這位先賢充滿著敬意，也頗以與船山同為衡陽人而自豪。

王船山對湖湘士人群體性格影響的另一點，是他敢于做別人不敢做的事，敢于標新立异、特立獨行的無畏氣概。湖南這個地方自古以來便遠離皇權，遠離政治中心，又深受崇尚個性、思緒不羈的南楚文化的影響，故而湖湘士人多有無所依傍的獨立根性。湘人的這種獨立根性，充分地體現在王船山的學術探索與真理追求上。他豪邁地向世人宣布：六經責我開生面，七尺從天乞活埋。他既不在乎聖人對他學理上的別開生面予以責難，也不在乎世俗社會對他遺世獨立行爲的不理解。

王船山這個人，在當時論功名，不過一舉人，論地位，不過永曆小朝廷行人司裏的九品行人，論經歷，他甚至連北京城都没進過，也不見他與學術權威、文化名流有過多少交往，但就是這樣一個避居山間的『南岳遺民』（船山自稱），却居然敢于對中國學問的各個領域，包括經學、史學、政治學、文學，甚至天文、曆法、數學等自然科學，進行全方位的研究，敢于對聖賢之言和歷史定論提出質疑，并終于自成一家，而且登上那個時代思想與學術的頂峰。正如劉人熙說的：『船山之學，通天人，一事理，而獨來獨往之精神，足以廉頑而立懦，是聖門之狂狷，洙泗之津梁也。』

在王船山這個崇高榜樣的鼓舞下，湖湘士人長期來所具有的獨立特質，得到極大的激發，到後來終于形成一股股撼動山岳改變天地的强大軍政力量。這種現象，辛亥志士楊毓麟在《新湖南》一文中曾有過清晰的描述。他說周敦頤『師心獨往，以一人之意識經緯成一學說，遂爲兩宋道學不祧之祖』，王船山『以其堅貞刻苦之身，進退宋儒，自立宗主』，王闓運『談海外政藝時措之宜，能發人之所未見，冒不韙而勿惜』，『至于直接船山之精神者，尤莫如譚嗣同無所依傍，浩然獨往，不知宇宙之圻埒，何論世法！其愛同胞而甚仇虐，時時迸發于腦筋而不能自已。是何也？曰獨立之根性使然也』。

王船山對湖湘士人群體性格影響的第三點，即他的堅毅頑强、艱苦卓絕的非凡定力。三湘四水土地貧瘠，人口衆多，自古以來謀生不易，競爭激烈，故而民風既樸實又强悍，性格執拗，甚至于霸蠻。從這個人群中産生的士人，也大多保存這種特性。王船山堪稱此中典範。

王船山中年之後，便過著幾乎與世隔絶的隱居生活。他既無財産，又無田廬，衹靠少量束脩度日，經濟狀况异常窘迫。史册說他『厨無隔宿之粟』，應是實情。他長年從事艱難的學術研究，嘔心瀝血寫下來的大量著作，在他的生前一本都没有刻印。他常常連買稿紙的錢都没有，衹得從親戚那裏討來陳年賬簿，將他殫精竭思的成果寫在賬簿的背面上。就這樣，他數十年如一日，思考著，撰寫著，生命不息，著述不止。即便窮苦到這種地步，他也堅持自己的操守，拒絶吴三桂的厚禄收買，也不接受來自官方所贈送的錦帛。生活本身既清貧已極，所寫的書又一部没有刻印，當然也就談不上任何稿費收入，同時也就得不到社會的肯定。物資上的收穫和精神上的鼓勵，通常是寫作事業的兩個支撑點。這兩個支撑點，王船山一個都没有。那麽，是什麽力量在支撑著他呢？而且居然能支撑四十年之久？

我以爲，首先，這是源于王船山爲學術獻身爲真理獻身的崇高而無私的精神。其次，也源于王船山身上那種湘人所特有的執拗甚至霸蠻的性格。王船山長期在艱難困苦中著書立説的行爲，是對湖湘士人一種巨大的激勵。湖湘廣大民衆皆窮困，士人多出自清貧人家，寒士是湖湘士人群體中的主流。湖湘士人多自愛自重，雖窮厄而不墜青雲之志，不少人終于能脱穎而出，成爲對社會有大貢獻的人。錢基博先生在《近百年湖南學風》一書中對王船山這種影響作用如此評價：『王夫之以艱貞拄世變……維人極以安苦學。故聞夫之之風者，頑夫廉，懦夫有立志。』正是在船山精神的培育下，衡陽人彭玉麟，纔有『臣以寒士始，願以寒士歸』的勇氣。在彭玉麟的眼裏，寒士這個身份，既不會使自己慚愧，也不會令人看不起。所以在後來的歲月裏，他纔會六次辭掉握有實權的高位，纔會將自己的全部養廉費繳公，纔會以平民之身病死于衡陽鄉間的茅草房裏。彭玉麟終生以清貧寒士爲榮，因爲鄉賢王船山就是清貧寒士。

二、王船山對湖湘學風的影響

王船山對湖湘學風的影響是廣泛而深遠的，其中最主要表現在經世致用與趨時更新兩個方面。

王船山是一個極有政治抱負的士人。早年，他將自己拯時救世的政治抱負，寄托在扶持南明政權抵抗清人入侵的行動上。後來專心治學，也是因爲政治抱負落空後不得已的轉變。晚年，

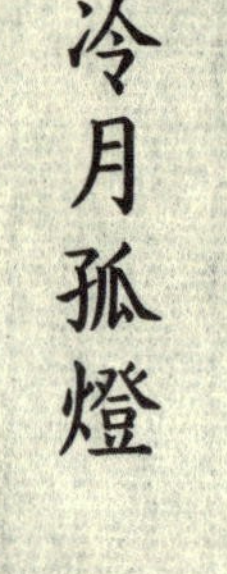

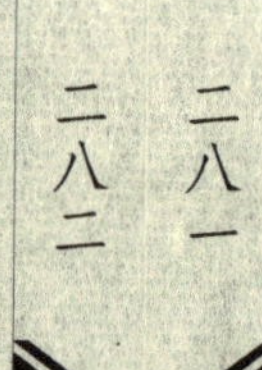

他爲自己的一生作總結時説，他是『抱劉越石之孤憤』，『希張横渠之正學』。劉越石即劉琨，是一位壯志未酬的西晉名將，張横渠就是那位『爲天地立心，爲生民立命，爲往聖繼絶學，爲萬世開太平』的北宋大學者張載。王船山爲自己撰寫的這兩句碑文，精練地概括了自己的平生：像劉琨那樣的以國事爲己任，像張載那樣的以治學爲蒼生。故而，王船山的治學便有著鮮明的經世致用的特色。

經世致用是湖湘學術的最重要特色。當年，胡安國、胡宏父子在南岳山下設帳講學，之所以被學術界稱之爲湖湘學派，其突出之點，就在于這個學派重在闡明『聖王經世之志』，其治學的目的乃在于『康濟時艱』，通經爲的是致用。

王船山完全繼承了湖湘學派的這個重要傳統，并爲經世致用的學術觀提供了充足的哲學思想依據。

首先，關于『道』與『器』這兩個古老的哲學概念，王船山明確地指出，『道』存在于『器』中。什麽是『道』？『道』指的是事物運動發展的規律。什麽是『器』？『器』指的是具體事物。王船山説：『道者，器之道。』所謂規律，是指的具體事物的規律，規律存在于具體事物中。王船山又説『據器而道存，離器而道毁』，『無其器則無其道』。具體事物和規律是不能分開的，離開具體事物，也就没有所謂的規律了。『道在器中』這個哲學觀念，有力地推動著人們重視和參與人類實踐的行動。

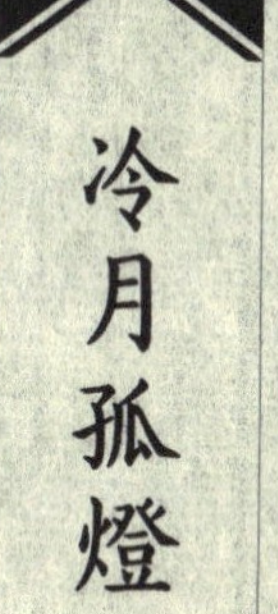

其次，在『知』與『行』這兩個哲學命題中，他提出『行先知從』的觀點。他説：『知之匪艱，行之維艱……先其難，而易者從之，易矣。』關于『行先知從』，王船山曾從多方面予以闡述。他認爲『行』可以兼『知』，而『知』不可以兼『行』。又説『知』非真知，力行而後知之真。還説『知之盡，實踐之而已』。他甚至還以這樣斷然的口氣説：『知而不行，猶無知也。』

第三，在『天理』與『人欲』這對命題中，王船山認爲『理在欲中』，『人欲之各得，即天理之大同』。他認爲物質生活欲求是『人之大共』，『有欲斯有理』，道德不過是調整人們的欲求、使之合理的準則。他也反對把道德同功利等同起來的傾嚮，强調『以理導欲』，『以義制利』，認爲衹有充分發揮道德的作用，社會纔能『秩以其分』『協以其安』。

將『器』置于『道』之上，將『行』置于『知』之先，將『人欲』置于『天理』之中。這些，都是王船山從哲學思想上爲『實踐是基礎』廓清了認識迷誤。因此，王船山竭力提倡實學。他宣稱要『盡廢古今玄妙之説而返之實』。王船山將胡氏父子所開創的以經世致用爲主要特色的湖湘學術繼承下來，又在哲學思想上爲其弘揚光大而奠定基礎。王船山無疑是湖湘學術發展史上貢獻最爲重大者之一。

王船山的學説因而受到湖南士人群體中經世派的高度重視。晚清湖南有兩個極重要的經世派：一個是以陶澍爲主的早期經世派，他們的代表人物有賀長齡、魏源、唐鑒等人。一個是以曾國藩爲主的後期經世派，他們的代表人物有左宗棠、胡林翼、彭玉麟、郭嵩燾等人。正是這兩個經世派，將王船山的學説大爲彰顯，使王學成爲近世湖湘學術中的顯學。

王船山的著作，在其生前没有刻印過，直到死後兒子王敔纔刻印了十多種。乾隆帝修《四庫全書》僅收其六種。因此，王船山的思想在很長一段時間裏不爲世知。道光十八年，身爲兩江總督的陶澍爲王船山故居親題『衡岳仰止』的匾額，又爲之撰寫楹聯：天下士非一鄉之士；人倫師亦百世之師。對王船山的人品和學問表示極大的尊崇。百世之師的提法，簡直把王船山抬到與孔夫子差不多的地位。

陶澍又大力支持重刻王船山遺書一事。道光二十二年，在湘中名儒鄧顯鶴、鄒漢勛、何紹基、左宗植、歐陽兆熊的參與下，王船山的遺書刻印一百五十卷。從那時起，王船山生前所撰寫的著述纔開始以全貌的形式行世。

陶澍既科名清華、官位崇隆，又在兩江任上大力整頓漕運、興修水利、改革鹽政，是一個備受海内政壇稱譽的方面大員，在湖湘士人群體中有著極高的威望，張佩綸甚至稱贊他爲湖湘政界的昆侖山。他之所以看重王船山，正是看重王船山的經世致用的學説。他對王船山本人的格外揄揚，以及他對王船山遺書大規模刻印的支持，使得王船山的學説開始在湖湘士人中廣爲流播。

王船山遺書的更大規模的刻印，是由晚清後期也是更有名的經世派，即以曾國藩爲首的湘軍集團來完成的。作爲近世湖湘巨子，曾國藩對王船山一向是仰慕的，與從事道光二十二

年船山遺書刊刻的各位名儒多爲關係密切的朋友。至于爲道光版船山遺書作序文的唐鑒，則更是曾國藩傾心敬服的老師。從曾氏全集中，我們常可看到他讀王船山的書，談王船山的爲人處世以及與人商討王船山入祠崇祀等文字，足見曾氏對王船山道德文章的佩服。『沉雄博大，識超千古』這八個字，可謂曾氏對王船山評價的代表詞。同治元年，在他的好友也是道光二十二年王船山遺書刊刻的首事者歐陽兆熊的鼓動下，曾國藩、曾國荃兄弟決定聯手重刻《船山遺書》。朱孔彰説曾氏兄弟捐銀子三萬兩設立金陵書局，刊刻王船山的全部著作，并爲之賦詩：『欲將節義風天下，先刻船山百卷書。』同治四年冬，新版《船山遺書》刊刻完畢，一年多後，在長沙印刷，曾國藩一次便要去三十部分送友朋部屬。曾國藩爲這部金陵版《船山遺書》親自作序。從序文中可知金陵版比道光版多出一百七十二卷。曾國藩在繁忙的軍政事務中，抽空校閲其中的一百一十七卷，并親手訂正差錯一百七十多處。序文還明確地説出了曾氏兄弟重刻此書的目的：『聖王所以平物我之情，而息天下之争，内之莫大于仁，外之莫急于禮。』『船山先生注《正蒙》數萬言，注《禮記》數十萬言，幽以究民物之同原，顯以綱維萬事，弭世亂于未形。』原來，曾氏看重的是王船山的學術可以綜理萬事，消弭世亂，而這也正是曾氏及湘軍集團的經世目標。

王船山的著作經過這兩次尤其是曾氏兄弟的全面貌高層次廣範圍的刻印發行，其學理特別是他的經世致用的思想，得到了空前的大傳播大弘揚。王船山本人和他的學問，在湖湘近

代士人中不可取代的崇高地位由此確定。正如章士釗所説的：『直至洪楊蕩定之後，曾國藩始輯遺書刻之，其説大倡于湖湘而遍于天下。』

其後，湘軍集團中的重要人物郭嵩燾繼請旨將王船山從祀文廟後，又在長沙城爲之建船山祠，每年定期公祭。在《船山祠碑記》中，郭嵩燾寫道，建此祠『將使吾楚之士知有先生之學，求其書讀之，以推知諸儒得失，而于斯道盛衰之由、國家治亂之故，皆能默契于心』。鮮明地體現了這位中國第一任西方大使，對湖湘士人領悟王船山經世致用學問的熱切期盼。

接著，湘軍水師統領、兵部尚書彭玉麟在衡陽城興建船山書院。并爲此上奏朝廷，稱王船山爲『命世獨立之君子』，建立船山書院，爲的是讓湖湘士人『景仰鄉賢，乘時奮勉，養其正氣，儲爲通才』。曾國荃爲支持彭玉麟的義舉，特將《船山遺書》的所有雕版捐贈給船山書院。船山書院是近代湖南的一所重要學校，在湘南一帶，其地位和影響都是首屈一指的。經船山書院的引導和培養，王船山的學説更得昌盛。他的書成爲湖湘士人的必讀書，他的經世思想也便更加深入地走進湖湘士人的心中。

至于王船山趨時更新的思想，在近代，引起了湖湘士人中變革派的高度重視。王船山在對歷史變遷深刻考察的基礎上，提出了趨時更新的觀念。他説：『君子之過，如日月之食，更新而趨時也。』又説『道莫盛于趨時』，『事隨勢遷，而法必變』。由此，他明確地表示：『時异局遷，窮則必變，勢在必革。』在晚清那個動蕩的年代，王船山這種思想給予對現實

强烈不滿，渴望尋求新出路，主張維新變革的湖湘志士們，提供强大的思想武器和成功信念。

正因爲此，激情澎湃的譚嗣同，可以用一年多的時間閉門静心讀完王船山的全部著作，看出王船山思想的精髓就在與時俱變這一點上。譚嗣同以頗近極端的口吻贊美王船山：『五百年來，真通天人之故者，船山一人而已。』

由于王船山特别强調夷夏之防，此種觀念與趨時更新的思想相結合，則成爲清末民族革命浪潮的理論强力。章太炎將這點説得很明白。他説：『王而農著書，壹意以攘胡爲本。』他又説另有人認爲，曾國藩不是悔過，而是『刻王氏遺書者，固以自道其志，非所謂悔過者也』。曾氏的志嚮是什麽呢？這一派人説：『夫國藩與秀全，其志一也。』原來，曾國藩與洪秀全所蓄之志是一樣的，即都是反滿排滿者，衹是采取的方式不同而已。洪秀全用的是暴力推翻朝廷的手段，而曾國藩則采取架空滿人、陰奪實權的手段。一代國學大師章太炎將這些話寫在金陵版《船山遺書》後，表明他不是在戲説歷史，而是將此説很當一回事的。

章太炎的《書曾刻船山遺書後》是一篇有趣的文章，他在這裏引發了一樁公案：曾國藩刻印《船山遺書》，究竟是悔滅太平天國保清廷之過，還是自道以緩衝迂迴爲手段顛覆清廷之志？藉這個機會，我們來説説這件事。

在我看來，曾國藩刻《船山遺書》，絶對不是悔過。曾氏爲什麽要組建湘軍鎮壓太平天國呢？

主要有這麽幾個原因。第一，他是朝廷大員，他的利益與朝廷利益是一致的，當有人要來推翻這個朝廷時，他自然要堅决反對。第二，他親眼看到，太平軍到了湖南以後，帶給湖南的是一片混亂，百姓不得安生，各種沉渣泛起。他要安定社會，恢復秩序，所以要鎮壓太平軍。第三，太平軍對上帝、耶穌的崇拜及對中國傳統文化的破壞，傷及了他的精神靈魂，這是他絶對不能允許的。我們看他起兵前的檄文《討粤匪檄》中的話：太平軍『舉中國數千年禮義人倫、詩書典則，一旦掃地蕩盡。此豈獨我大清之變，乃開闢以來名教之奇變。我孔子、孟子之所痛哭于九泉！凡讀書識字者，又烏可袖手安坐，不思一爲之所也』。其實，滿人入關以後，尤其經康乾之後，在文化上尊崇堯舜禹湯文王周公孔子孟子，以四書五經取士，在精神家園上已與漢人共爲一體，在官場士林中，并無强烈的排滿尊漢的意識。他們大多像林則徐、鄧世昌這些公認的愛國者一樣，將忠于朝廷與愛國等同看待。所以，『悔過』一説，實屬無稽之談。

至于曾氏是藉此道出以緩衝迂迴的手段顛覆清廷之志嚮一説，從立論上來説，這也是站不住脚的。因爲曾國藩是鐵杆保皇派，他的心裏没有絲毫要顛覆清廷的想法，這從他多次拒絶擁兵自重或黄袍加身的建議，打下南京後立即大幅度裁軍等事實足可爲證。但從後果上來説，曾國藩又的確是一個以緩衝迂迴的手段最終顛覆清朝廷的代表性人物。他和他的湘軍集團取得勝利後從根本上改變了當時的政治格局、軍事格局和權力格局。具體地説：政治格局上的改變，是從那以後，漢人迅速崛起，掌控著地方上實權。軍事格局上的改變，是湘軍首創的『募

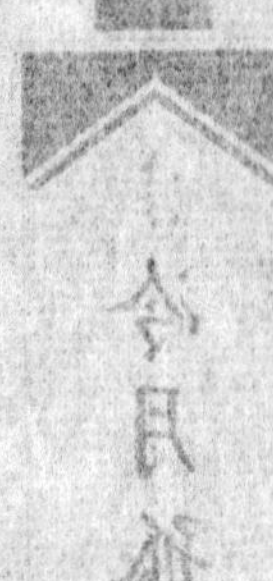

兵制』全盤取代八旗、綠營的『世兵制』，八旗綠營逐漸地在軍事舞臺上邊沿化。權力格局上的改變是各省巡、藩、臬的多元化的互相牽制變爲巡撫一元化的絕對控制。這種改變導致的結果是晚清政權的『外重內輕』。最後辛亥革命一聲炮響，清王朝頃刻土崩瓦解。追溯源頭，曾國藩纔真正是大清王朝的第一個掘墓人。

其實，對于這一後果，曾氏本人和他身邊的智囊團都已預測到了。他的心腹幕僚趙烈文在其所著《能靜居日記》中的同治六年六月二十這天的日記裏，記録了他們二人當天深夜推心置腹的長談。趙烈文說：『以烈度之，异日之禍，必先根本顛僕，而後方州無主，人自爲政，殆不出五十年矣。』趙烈文說，日後的政變是，中央政權垮臺，各省獨立，恐怕這個局面的出現不會超過五十年。說話時是一八六七年，距一九一一年的辛亥革命四十四年，果然『不出五十年』。對于這種大逆不道的預測，曾國藩沒有批評。他衹是皺著眉頭說：『吾日夜望死，憂見宗祏之隕。』也就是說他希望自己早點死掉，不要親眼看到這一幕的出現。

然則，掘墓人這一角色，是無情的歷史强加給他的，并不是他自己要做的。清朝廷的衰落以至于滅亡，對于曾國藩來說是『無可奈何花落去』而已！

曾國藩爲什麽要刻《船山遺書》，正如前面提到的，他在序文中所說的要藉船山學說『弭世亂于未形』，即從思想上消弭擾亂社會的各種不良念頭。如果說，組建湘軍平定太平天國，是他安定社會的應急之術的話，那麽，藉船山思想來化育百姓整治世道，則是導致社會安定

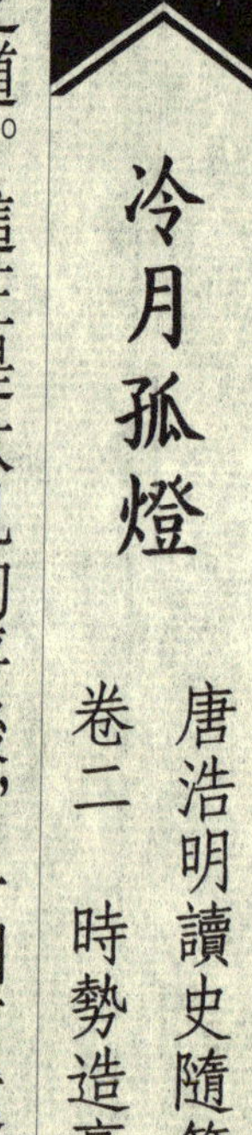

的長久之道。這正是大亂初平後，一個有遠見的政治家的治國良策。

關于這一點，曾國藩的弟弟曾國荃說得更明白。刻《船山遺書》的創意來自曾國荃，且他出錢最多，資助最力。光緒十五年，身爲兩江總督的曾國荃爲船山研究者劉毓崧所著《王船山先生年譜》作序言。序言中說，自古以來聖賢豪杰都想以一己之才爲社會造福，但有的人因顛沛艱厄不能施展這個抱負，于是『發而爲文章著述』。這些人以孔子、孟子爲典範，後世的荀子、王通、周敦頤、程顥、程頤、張載、朱熹、王應麟、馬端臨、顧炎武都是這一類人物，王船山也是這一類人物。他們的著作爲『日月星辰，燦然亘萬古而不蔽，如水火菽粟之裨益民生，不可斯須無』。所以他要首倡刻印《船山遺書》。

通過上述分析，我們可以看出船山著作在曾氏兄弟中的地位，他們刻印的目的絕非短時功利，而是有關世道人心的深謀遠慮。

不過，話又要說回來，章太炎分析曾氏刻船山遺書的目的雖是牽强附會，但那個時代的一批激進的湖湘士人，的確是從王船山遺書有關民族大義的精彩論述中，大量汲取反清排滿的精神營養。辛亥志士楊毓麟、陳天華、禹之謨等人，都是『生平喜讀先儒王船山遺著』的一批人，王船山的民族思想無疑照亮著他們驅逐韃虜恢復中華的革命之路。

王船山的思想還深刻地影響著近代湖湘士人群體中一位重要人物，此人即有『海內名儒』之稱的楊昌濟。楊昌濟于湖湘先賢最崇拜的人有兩個，一個是王船山，一個是曾國藩。從楊

昌濟傳世的文字中可以看出，王、曾兩人的書，楊昌濟讀得最多最精，且終生相伴。他對王船山的評價是：『王船山一生卓絶之處，在于主張民族主義。』深受王船山影響的楊昌濟，又將自己的觀念深刻地影響了得意弟子毛澤東、蔡和森、張昆弟等人。他們經常到船山學社，聽著名船山學專家劉人熙講述王船山的學説。毛澤東更是特别喜歡讀王船山的書。保存下來的他當年的聽課筆記《講堂録》中，有記録王船山的一句話：『有豪杰而不聖賢者，未有聖賢而不豪杰者也。』即使後來成了無産階級的革命領袖，在戰争和建設的繁忙年月裏，王船山的書也常常伴隨著他。

由以上簡略的分析中，我們可以看出王船山對湖湘文化，尤其是對湖湘士人的人格和學風之影響，是多麽的巨大而深遠。

近代湖南以陶澍爲代表的經世派，以曾國藩爲代表的由經世派轉化過來的早期洋務派，以譚嗣同爲代表的維新派，以楊毓麟爲代表的資産階級革命派，以毛澤東爲代表的無産階級革命派，無一不受船山的影響。船山爲什麽會對近代湖南有這樣大的影響呢？

近代中國，可以這樣簡潔地予以概括。其時代背景是四個字：内憂外患，其時代主題也是四個字：尋找出路。近代湖南自然不例外。湖南地處南北幹道，雖窮困但不偏僻，尤其自湘軍運動之後，湘人皆以心憂天下敢爲人先爲己任，憂時傷世之心更顯强烈。憂患歲月需要强大的人格。船山對信仰堅貞不移，對事業執著不捨，艱苦卓絶，矢志不渝，其人格之强大

非常人可比。尋求年代需要藉助閃光的思想。船山立在深厚的學問之上，對前代的人與事或褒或貶，都有自己的真知灼見，對人類社會的整治，倫常秩序的構建，都有自己的設想與謀劃。他的思想理論中常有智慧之光在閃爍，其啓發性與藉鑒性也非通常著述所可比。這就是船山在近代湖南之所以有巨大影響的原因所在。

今天的時代雖與過去大不相同，但前進與探索的人類社會的本質并没有改變，船山依舊是我們的先哲，尤其對我們衡陽人來説更是如此。即便是舉世都不談船山了，我們衡陽也不能忘記船山。即便是國人都沉溺于財富與娛樂之中，回雁孤峰一座，也要日夜呼喚這個三百九十年前誕生在它山脚下的偉大兒子。我們要讓船山之魂長伴雁城、長駐人心，成爲日常生活中的强大精神力量。